JN007288

ドラゴン桜とFFS理論が教えてくれる

あなたが伸びる学び型（かた）

古野俊幸

Toshiyuki Furuno

日経BP

ドラゴン桜と
FFS理論が教えてくれる

ドラゴン桜とFFS理論が教えてくれる あなたが伸びる学び型

Toshiyuki Furuno
古野俊幸

日経BP

東大合格
秘訣の第一条は……
まず
「己を知る」ことだ！

『ドラゴン桜2』2巻10限目

まえがき

この本は、人気コミック『ドラゴン桜』と、その続編『ドラゴン桜2』を通して、自分の個性に合った「学び型」を知り、勉強やスキルアップに役立てていただくことを目的にしています。

前作『宇宙兄弟とFFS理論が教えてくれる　あなたの知らないあなたの強み』では、『宇宙兄弟』のストーリー、キャラクターを通してFFS（Five Factors & Stress 開発者：小林惠智博士）理論による自己理解・他者理解の方法をご紹介しました。おかげ様で好評をいただきましたことを、この場を借りてお礼申し上げます。

その後、前作の企画・プロデューサーである佐渡島庸平さん（コルク代表）から、「次は、テーマを受験や学校の勉強、社会人の資格取得やスキルアップなどの『学び』において、『ドラゴン桜』『ドラゴン桜2』（以下、特記なき場合は『ドラゴン桜』）とFFS理論を組み合わせて、自分に合った効率的な学びの方法を考えていきませんか」とご提案があり、再び筆を執らせていただいた次第です。

FFS理論は現在、ソニー、本田技術研究所、リクルートグループ、LINEなど、延べ約800社で導入されています。

その主な目的は、自己理解と他者理解です。

自分では「よかれ」と思ってとった言動が、異なる個性の相手にはストレスに感じてしまうことがあります。また、なぜこの場面で相手がそんな行動をするのか、理解できずに悩むこともあります。そうした個性による行動や感じ方の違いを、部下への指導法や育成法、ストレス対策に活用いただいています。

実はその中で、組織での活用とは別に、子育て世代の方々から「子どもとの関わり方をアドバイスしてほしい」という相談をかなりの頻度で受けていました。相談の一番のポイントは、組織で発生する問題同様、「個性の違いによるすれ違い」です。

つまり、子どもの個性が自分（親）と異なる場合に、子どもに学習習慣を身につけさせ、勉強へのやる気を引き出すために、どう接すればいいのか悩んでいる親御さんが多かったのです。

学びの「型（カタ）」は個性に大きく影響を受ける

こうした悩みが生じるのは、個性によって「学び」に最適な方法が異なるからです。

ここで、「学び」と「個性」がどう関係するのか、簡単に説明しましょう。

まず、「学び」とは何か。学びの先にはたいてい目的が存在します。例えば「合格する」「資格を取る」「事業を成功させる」などです。こうした目的のために必要な知識や技術を、「真似て習う」ことから始めて、覚える、習得する、身につけることが学びだと言えます。

つまり、「学ぶ」とは、かなり主体的で能動的な行為であり、そこには主体的な意図が必要になります。ただ単に体験するだけでは学びにつながらないのは、そうした理由からです。

そして、ここからがポイントなのですが、主体的に情報を獲得し、知恵へと昇華していく際に、人は個性の影響を強く受けることになります。

特に学びに関係するのが、FFS理論で言うところの「拡散性」と「保全性」の2つの因子です。詳しくは本文で説明していきますが、「拡散性」の高い人は「概念化型の学び」が得意ですし、「保全性」の高い人は「体系化型の学び」が得意です。

学びの「型（カタ）」は、この2つのパターンに分けることができるのです。

そして2つの「学び型」は、本人が意識的に選べるものではありません。「拡散性」と「保全性」は、共に気質に由来する因子（生まれ持った特性）なので、本人や周りの都合に関係なく決まってしまいます。そして、子どもから大人に成長した後も、その学び型で学び続けることになります。

〝落ちこぼれた〟のは、たまたま「学び型」が合っていなかっただけ

このように考えると、学習の基礎を身につける時期（未就学児から小学校低学年にかけて）は、本人の個性に合った「学び型」で勉強させることがとても重要であることが理解できます。

特にこの時期は、「好き／嫌い」がその後の学習習慣を大きく左右します。つまり、自分に合った学び型で勉強→その教科が「好き」になる→「得意」になる→ますます勉強する。反対に、自分に合わない学び型で勉強→その教科が「嫌い」になる→「苦手」になる→ますます勉強しなくなる。こういうメカニズムなのです。

よくあるのは、親と子どもの個性が異なる場合（親が「保全性」が高く、子どもは「拡散性」が高い、あるいはその逆）に、親が子どもに合った学び型を理解せず、自分が得意として実践してきたやり方で勉強させようとすることです。「よかれ」と思って口を挟んだことが、結果的に子どもの苦手意識を醸成してしまったとしたら……、こんなにやり切れないことはありませんよね。

親だけではなく、学校や塾の先生との相性も重要です。子どもの勉強の例でお話ししてきましたが、大人が学ぶ際にも、自分に合った学び型が重要であることは言うまでもあり

ません。

「自分は勉強ができない、苦手」と思ってしまった大きな理由として、自分に合っていない「学び型」を強制されてきた、それしかないと思い込んでいた、という可能性は大きいと思います。また、自分がなんとなく実践してきた方法も、「学び型」として明確に意識すれば、成果がさらに上げやすくなることも大いに考えられます。

なぜ『ドラゴン桜』なのか

『ドラゴン桜』の主人公・桜木建二は、経営難に陥った「龍山高校」の再建に立ち上がる弁護士です。最初は弁護士として名を上げるため、つまり「野心のため」でした。本人は東大出身ではなく、落ちこぼれで弁護士資格を取った変わり種です。その一方で、凄腕のカリスマ講師たちと縁があり、東大受験にも一家言持った人物でした。

桜木は、東大を目指す〝落ちこぼれ高校生〟の水野と矢島に、『ドラゴン桜2』では、そこそこの学力はあるけれど自主的に学ぶ気力がない早瀬と天野に、東大受験を勝ち抜くための〝テクニック〟を伝授していきます。

といっても、それらはテクニックの範疇を超えた「勉強の型」と言えるものです。東大の入試問題では、単なる暗記・再生ではなく、記憶した情報をもとに「どう考えるのか」

が問われます。生徒たちは勉強の型を習得したことで、東大合格というゴールに向かって効率的に勉強できただけでなく、自分で考える力や、さらには「生き抜くうえでの賢さ」も身につけていきました。

桜木が受験テクニックを通じて伝えたかったのは、まさに「生きる意味」なのだと私は感じました。よりよい人生、自分らしい人生を送るために自分を知り、自分に合った型を身につける。これは、ＦＦＳ理論が目指すところと一致しています。

『ドラゴン桜』で紹介されている様々な「勉強の型」には、「拡散性」の高い人に向くものもあれば、「保全性」の高い人に向くものもあります。本書では、「個性に合った学び型」の観点からこれらの勉強の型を取り上げ、解説していきます。勉強の仕方のみならず、目標の立て方、計画の立て方、モチベーションの保ち方なども個性に合った方法を紹介します。読者の皆さんが自己理解を深め、自分に合った学び型を身につけるために、ＦＦＳ理論を活用していただけたらと思っています。

本書とウェブサイトで自己診断を

本書を購入していただいた方への特典として、ＦＦＳ理論によるご自身の個性診断（ドラゴン桜バージョン）ができる特設サイトを設けました。本書の中にも簡易診断をご用意しています。

前作でもお伝えしたとおり、成功する人には何か共通する特徴があるわけではなく、「自分の特性を理解し、強みを活かす」ことが成功の秘訣です。

これは学びにおいても同じです。効率よく学び、自身の成長につなげるには、自己理解を深め、自分に合った学び型を身につけることが大切です。親御さんや上司の場合は、子どもや部下の個性を理解し、個性に合った学び型で子育て・指導すること。この本がその一助となれば幸いです。

（※文中で敬称を省略させていただいた箇所があります。また、マンガの台詞を本文内で引用する際に、読みやすさを考慮して句読点を適宜補っています）

Contents

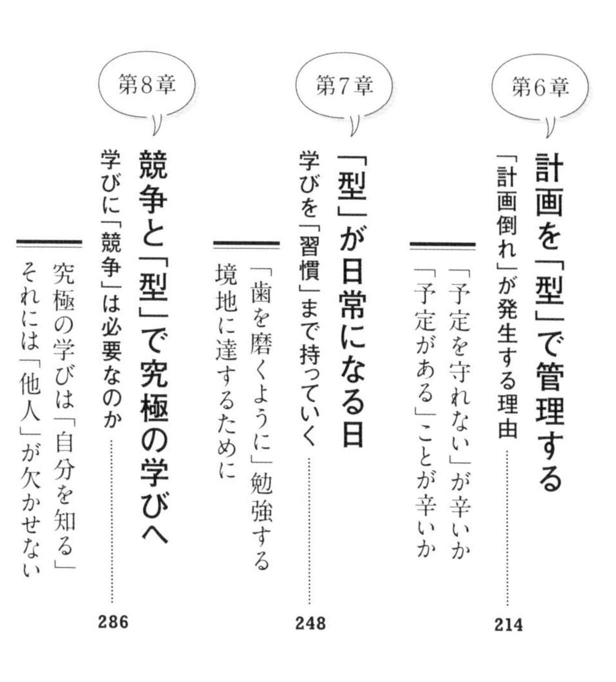

Column

Five Factors & Stress

FFS理論とは…

FFS理論の概念

FFS理論（開発者：小林惠智博士）は、ストレス理論をベースに研究されたものです。人によってストレッサー（ストレスになる刺激）は違います。例えば、同じ広さの部屋にいても、「広々として心地よい」と感じる人もいれば、「広過ぎて不安」とストレスに感じる人もいます。つまり、環境や刺激に対する感じ方や捉え方は人それぞれ違います。その感じ方や捉え方の特性を5つの因子として計量化したものが、FFS理論です。

FFS診断を受けるメリットとは？

質問に答えると、5つの因子とストレス状態が数値化されます。それらの数値から、あなたの個性に影響を与えている因子を特定します。自己理解が深まるのはもちろん、他者との違いも明らかになり、すれ違いの原因究明やよりよいコミュニケーションの取り方の指南にお役立ていただけます。

FFS診断を受けてみよう（読者特典）

STEP 1

巻末の袋綴じに記載されたURLもしくはQRコードで、「FFS診断（ドラゴン桜バージョン）」公式webページにアクセスしてください。

STEP 2

公式webページで会員登録に進んでください。その際、袋綴じの中に記載されたアクセスコードが必要となります。

STEP 3

診断画面が表示されます。質問は80問あります。回答は落ち着いた静かな環境で行ってください。考え込まず直感でお答えください。

注意：すでに会社などでFFS診断を受けている方は、ここでの診断はできません。お持ちの診断結果の数値を入力していただくと、91類型の分析結果サマリーと学習スタイルが分かります。「宇宙兄弟バージョン」で診断を受けた方も同様です。
なお、手軽に診断したい方向けに、webでも簡易診断を用意しています。簡易版のため精度が落ちることをご了承ください。

診断結果の見方

ここで提供する診断結果は、読者特典としての「ドラゴン桜バージョン」です。「あなたの強み」に影響する因子（多くは数値の高い順に2～3因子）と、その因子の多寡とその順番によって91類型に分析した結果のサマリーと、「拡散性」「保全性」からの学習スタイルをお知らせします。

5つの因子の差に注目

どの因子が良い／悪いということではなく、あくまでのご自身の思考行動のパターンに影響を与えている因子を把握するものです。第一因子（数値が一番高い因子）が最も影響を与えますので、順番と二番目、三番目の因子との差分を見ることが重要です。

A	B	C	D	E
凝縮性因子	受容性因子	弁別性因子	拡散性因子	保全性因子

各因子の特徴を知ろう

Factor

凝縮性因子

固定・強化させようとする力
の源泉となる因子

凝縮性は、文字どおり自らの考えを固めようとする力。こだわりが強く、自分の中で明確な価値規範を持っています。他人に流されずブレない一方で、自分の価値観に合わないものはなかなか受け容れない頑固な一面もあります。日本人にはかなり少ないタイプです。

判断軸	自分の価値観上、正しいか、正しくないかで物事を判断します
ポジティブ反応時の特徴	正義感や使命感、責任感が強く、道徳的で規範的な印象を与えます
ネガティブ反応時の特徴	独善的、支配的、否定的、排他的になり、周りを力でねじ伏せようとします
ストレスの要因	自分の考え方や価値観を頭ごなしに否定されるとストレスを感じます
教育法	自分で選択させ決して押し付けない。権威を利用

B Factor

受容性因子

外部を受け容れようとする力の源泉となる因子

受容性は、無条件に受け容れる力です。優しくて面倒見が良く、柔軟性があるのが特徴です。無理難題も聞いてくれるので、経験知が高いと頼もしい存在ですが、経験知が少ない場合、周りの要望を全部受け容れてしまい、キャパオーバーになることもあります。

判断軸	良いか、悪いかで物事を判断します
ポジティブ反応時の特徴	面倒見が良く、寛容です。周りを肯定し、周りに共感することができます
ネガティブ反応時の特徴	お節介で過保護になります。自虐的、逃避的になることもあります
ストレスの要因	反応がなかったり、存在をないがしろにされたりするとストレスを感じます
教育法	学習段階のチェックリスト。講習会やレッスンがあるとよい

 Factor

弁別性因子

相反する二律にはっきりと分けようとする力の源泉となる因子

弁別性は、白黒はっきりさせる力です。合理的で計算的であることも特徴です。ドライで、常にどうすれば合理的なのかを考えて行動します。物事を都合よく割り切ることができる一方で、感情があまり介入しないため機械的で冷たく見られることもあります。

判断軸	相対的に見て適正であるか、不適正であるかで物事を判断します
ポジティブ反応時の特徴	理性的、現実的で、無駄なことをせず合理的に判断することができます
ネガティブ反応時の特徴	機械的で自己都合的になり、手っ取り早く処理するために詭弁的になります
ストレスの要因	理不尽さなど、理性ではどうにもならないことを求められるとストレスを感じます
教育法	学びの前に「なぜこうするか」の理由を常にセットしておく

D Factor

拡散性因子

飛び散っていこうとする力
の源泉となる因子

まぁいいや、
とりあえずやろう

拡散性は、飛び出していこうとする力です。活発で行動力があります。直情的で、面白いことなら周囲を気にせずどんどん取り組むので、「挑戦的だ」と評価される一方、飽きっぽいため周りを振り回すタイプでもあります。

判断軸	好きか、嫌いかで物事を判断します
ポジティブ反応時の特徴	積極的、活動的で、ゼロから物事を作り上げることができます
ネガティブ反応時の特徴	反抗的になったり、破壊的・攻撃的になったりします
ストレスの要因	物理的・精神的に束縛されるなど、自由に動けないときにストレスを感じます
教育法	まずはやらせてみる。 基本は褒めまくりでアバウトに指導

E Factor

保全性因子

維持するために工夫改善していく力
の源泉となる因子

安全かどうか、
まず確認しよう

保全性は、維持しながら積み上げる力です。プランを立て、工夫しながらコツコツと進めていくのが得意です。組織を作るのがうまく、周りと協調しながら動くことができます。慎重で安全第一なため、なかなか行動することができないときもあります。

判断軸	好きか、嫌いかで物事を判断します
ポジティブ反応時の特徴	几帳面でさまざまな場面を想像できます。また、協調的に動くことができます
ネガティブ反応時の特徴	消極的で妥協的になったり、パニックになって拒絶的になったりします
ストレスの要因	明確な指針がない場合や、急な変更など、予期せぬ事態にストレスを感じます
教育法	事前に資料を読み込ませる。 安心できる環境で模擬体験を

FFS理論・自己診断

「はい」「どちらかといえば『はい』」「どちらかといえば『いいえ』」「いいえ」の四択です。
直感で回答してください。少し考える場合は、「どちらかと言えば」の回答を選んでください。(これはFFS理論の正規の質問数ではないため、結果はあくまで簡易的なものとご理解ください。以下も同様です)

	はい	どちらかといえば はい	どちらかといえば いいえ	いいえ	D
	はい	どちらかといえば はい	どちらかといえば いいえ	いいえ	E
	はい	どちらかといえば はい	どちらかといえば いいえ	いいえ	D
	はい	どちらかといえば はい	どちらかといえば いいえ	いいえ	E
	はい	どちらかといえば はい	どちらかといえば いいえ	いいえ	D
	はい	どちらかといえば はい	どちらかといえば いいえ	いいえ	E
	はい	どちらかといえば はい	どちらかといえば いいえ	いいえ	D
	はい	どちらかといえば はい	どちらかといえば いいえ	いいえ	E
	4点	3点	1点	0点	

各因子の回答を採点
(例：1で「はい」ならばDに4点)、合計する

D 拡散性	E 保全性
点	点

DE『ドラゴン桜』版

FFS理論は、本来は5つの因子の順番やバランスを分析することで、その人の思考行動の特性を客観的に分析していくものです。
しかし今回は、学び方に一番影響を与えている気質（先天的）の「拡散性（D）」と「保全性（E）」にフォーカスした関係で、簡易診断も、「拡散性と保全性のどちらが高いか」と、社会性（後天的）に起因する3つの因子、「凝縮性（A）」「受容性（B）」「弁別性（C）」についての、2段階で診断していただきます。
まず、「DE用」の8問の簡易質問に回答してください。

1	「面白そう」と思ったら後先考えずに、まず動く
2	「面白そう」と思ったら、失敗しないように準備する
3	飽きっぽい
4	いろんな体験をしたいと思う
5	過去のことは忘れっぽい
6	不安なことを誰にも悟られたくないと思うことがある
7	「あんまり考えてないよね」と周囲から言われることがある
8	「丁寧できっちりしているね」と言われることがある

次は ABC 用の質問へ

次に「ABC用」の9問の簡易質問に回答してください。
回答が終わりましたら、右側の「因子」ごとに合計点を出してください。点数は質問票の一番下に記してあります。

	はい	どちらかといえば はい	どちらかといえば いいえ	いいえ	
	はい	どちらかといえば はい	どちらかといえば いいえ	いいえ	A
	はい	どちらかといえば はい	どちらかといえば いいえ	いいえ	B
	はい	どちらかといえば はい	どちらかといえば いいえ	いいえ	C
	はい	どちらかといえば はい	どちらかといえば いいえ	いいえ	A
	はい	どちらかといえば はい	どちらかといえば いいえ	いいえ	B
	はい	どちらかといえば はい	どちらかといえば いいえ	いいえ	C
	はい	どちらかといえば はい	どちらかといえば いいえ	いいえ	A
	はい	どちらかといえば はい	どちらかといえば いいえ	いいえ	B
	はい	どちらかといえば はい	どちらかといえば いいえ	いいえ	C
	4点	3点	1点	0点	

各因子の回答を採点　（例：1で「はい」ならばAに4点）、合計する

A 凝縮性	B 受容性	C 弁別性
点	点	点

A

B　C

『ドラゴン桜』版 FFS理論・自己診断

1	「持論を支持してくれない」同僚がいたら、喧嘩になってでも説得しようとする
2	元気がない友達がいたら、なんとか元気にしてあげようとする
3	二度説明するなど、無駄なことはしない
4	「こうあるべきだ」とよく言っている
5	自分と違う考えを聞いた時に「なるほど、一理あるな」と思う
6	「データがない状態」では、判断できないと思う
7	責任を果たすために、部下の仕事を取り上げる
8	状況や環境が変われば、決まり事など柔軟に変えても良いと思う
9	曖昧なことは、白黒はっきりとさせたい

合計点が出たところで、数字の大きい順番に並べ直してください。
DとEが同数の場合は、Eを選択してください。
ABCで同数の場合は、C>A>Bの順番です。
結果をもとに、D=拡散性、E=保全性の因子を意識しながら本を読んでください。さらにABCも絡めた全体的な傾向を8つのタイプにして、次の見開きで解説いたします。
なお、ウェブでご提供しているドラゴン桜バージョン（書籍の最後に診断できるアクセスコードがあります）では、気質以外の要素も加えて、FFS理論に基づくあなたの個別的特性（個性）を診断できます。

簡易診断の結果を解説しましょう。より詳しい診断を行うには、袋綴じに記載のURLおよびQRコードから公式webサイトにアクセスしてください。

本書を読む際にはここまでの認識で十分なのですが、せっかくのFFS理論に触れていただく機会ですので、社会的な因子「凝縮性」「受容性」「弁別性」も組み合わせた簡易的な診断も、やってみましょう。

BよりもAが高い場合、ないし同数の場合
「凝縮性」(>「受容性」)

AよりもBが高い場合
「受容性」(>「凝縮性」)

Cの合計点が9点以上
「弁別性が高い(=白黒をはっきりつけたい)」

9点未満
「弁別性が低い(=曖昧でも気にならない)」

「気質(拡散性と保全性のどちらが高いか)」と「社会性(凝縮性と受容性のどちらが高いか、弁別性が高めか低めか)」とで組み合わせると、トータルで8タイプに分けることができます。
※これは簡易版としての対応です。FFS診断の正規版は、5つの因子の順番と差分で診断していきます。

診断結果の解説

さあ、ご自身の気質を知りましょう。気質の因子が「学び型」に直結しますから、あなたが「拡散性」が高いのか、「保全性」が高いのかを知ることがまず重要になります。

EよりもDが高い場合、
「拡散性」(>「保全性」)

DよりもEが高い場合、ないし同数の場合
「保全性」(>「拡散性」)

「拡散性」が高い人の特徴

興味があることに対して、周りを気にすることもなく積極的に動いていきます。前例や人と同じことを嫌い、違うことをしようとするため創造性は高くアイデア的になります。自由闊達ですが、周囲に対して無頓着なところがあり、興味を持たないことには、まったく動こうとしません。

「保全性」が高い人の特徴

現状を継続しながら改善を積み上げて、より安定した状態を作り上げていこうとします。工夫改善をしながら仕組み化することが得意です。ただ、新しいことに取り組む場合は少しずつ情報を得て、自分なりの形にしていこうとするため、準備に時間がかかることはあります。

⑤ 「保全性」>「拡散性」、「凝縮性」>「受容性」

学び型	事前に準備して、計画的に進めていくことが得意。きちんと積み上げて、体系化していく
社会性	こだわりが強く、自らの価値観をブレずに主張する
判断	感覚的に全体像を捉えようとする
全体の特徴	自らの価値観を明確に示すことができます。「正しい」と思ったことは主張し、周囲から批判されてもブレない強さがあります。現状を継続しつつ、改善を積み上げていくことができます。良いものを残しつつ、悪いものを改善しながら目標を達成していきます。判断は感覚的で、全体のイメージを大切にしようとします。

⑥ 「保全性」>「拡散性」、「凝縮性」>「受容性」、「弁別性」が高い

学び型	事前に準備して、計画的に進めていくことが得意。きちんと積み上げて、体系化していく
社会性	こだわりが強く、自らの価値観をブレずに主張する
判断	データに基づいて合理的に黒か白ははっきりさせようとする
全体の特徴	自らの価値観を明確に示すことができます。「正しい」と思ったことは主張し、周囲から批判されてもブレない強さがあります。現状を継続しつつ、改善を積み上げていくことができます。良いものを残しつつ、悪いものを改善しながら目標を達成していきます。合理的に物事を判断していくことができます。物事や状態を明確に切り分けていくことが得意です。

⑦ 「拡散性」>「保全性」、「凝縮性」>「受容性」

学び型	興味の赴くまま、脈略のない体験の中から、共通するような概念を見出していく
社会性	こだわりが強く、自らの価値観をブレずに主張する
判断	感覚的に全体像を捉えようとする
全体の特徴	自らの価値観を明確に示すことができます。「正しい」と思ったことは主張し、周囲から批判されてもブレない強さがあります。積極的にアイデアを出しながら動いていくことができます。人と違うことを思いついたら自ら行動していくことでそれを実現しようとします。判断は感覚的で、全体のイメージを大切にしようとします。

⑧ 「拡散性」>「保全性」、「凝縮性」>「受容性」、「弁別性」が高い

学び型	興味の赴くまま、脈略のない体験の中から、共通するような概念を見出していく
社会性	こだわりが強く、自らの価値観をブレずに主張する
判断	データに基づいて合理的に黒か白ははっきりさせようとする
全体の特徴	自らの価値観を明確に示すことができます。「正しい」と思ったことは主張し、周囲から批判されてもブレない強さがあります。積極的にアイデアを出しながら動いていくことができます。人と違うことを思いついたら自ら行動していくことでそれを実現しようとします。合理的に物事を判断していくことができます。物事や状態を明確に切り分けていくことが得意です。

1 「保全性」>「拡散性」、「受容性」>「凝縮性」

学び型 事前に準備して、計画的に進めていくことが得意。きちんと積み上げて、体系化していく

社会性 人のために役に立ちたい面倒見の良さ

判断 感覚的に全体像を捉えようとする

全体の特徴 柔軟に物事を受け容れていきます。周囲の喜びを自分の喜びと考えることができます。現状を継続しつつ、改善を積み上げていくことができます。良いものを残しつつ、悪いものを改善しながら目標を達成していきます。判断は感覚的で、全体のイメージを大切にしようとします。

2 「保全性」>「拡散性」、「受容性」>「凝縮性」、「弁別性」が高い

学び型 事前に準備して、計画的に進めていくことが得意。きちんと積み上げて、体系化していく

社会性 人のために役に立ちたい面倒見の良さ

判断 データに基づいて合理的に黒か白ははっきりさせようとする

全体の特徴 柔軟に物事を受け容れていきます。周囲の喜びを自分の喜びと考えることができます。現状を継続しつつ、改善を積み上げていくことができます。良いものを残しつつ、悪いものを改善しながら目標を達成していきます。合理的に物事を判断していくことができます。物事や状態を明確に切り分けていくことが得意です。

3 「拡散性」>「保全性」、「受容性」>「凝縮性」

学び型 興味の赴くまま、脈略のない体験の中から、共通するような概念を見出していく

社会性 人のために役に立ちたい面倒見の良さ

判断 感覚的に全体像を捉えようとする

全体の特徴 柔軟に物事を受け容れていきます。周囲の喜びを自分の喜びと考えることができます。積極的にアイデアを出しながら動いていくことができます。人と違うことを思いついたら自ら行動していくことでそれを実現しようとします。判断は感覚的で、全体のイメージを大切にしようとします。

4 「拡散性」>「保全性」、「受容性」>「凝縮性」、「弁別性」が高い

学び型 興味の赴くまま、脈略のない体験の中から、共通するような概念を見出していく

社会性 人のために役に立ちたい面倒見の良さ

判断 データに基づいて合理的に黒か白ははっきりさせようとする

全体の特徴 柔軟に物事を受け容れていきます。周囲の喜びを自分の喜びと考えることができます。積極的にアイデアを出しながら動いていくことができます。人と違うことを思いついたら自ら行動していくことでそれを実現しようとします。合理的に物事を判断していくことができます。物事や状態を明確に切り分けていくことが得意です。

マンガで分かる「拡散」と「保全」

～『ドラゴン桜2』12巻94限目より

拡散型か
保全型？

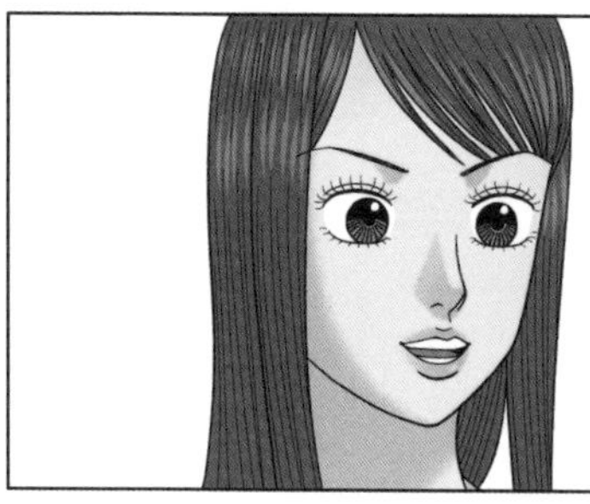
受験生は
夏休みに入る前に
勉強計画を
立てるのが普通よね

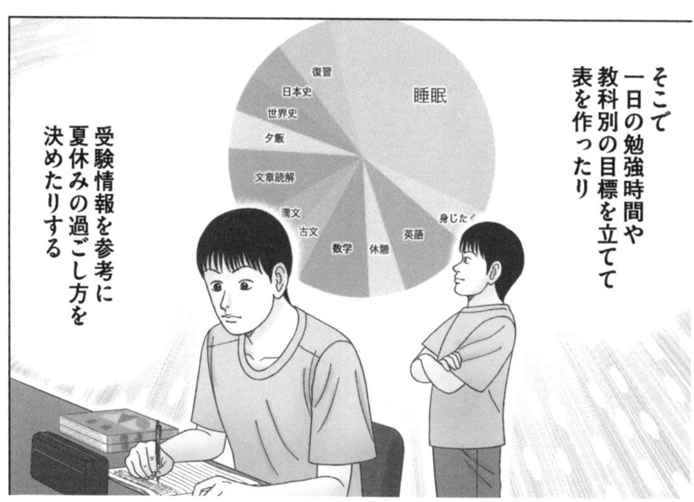
そこで
一日の勉強時間や
教科別の目標を立てて
表を作ったり
睡眠
復習
日本史
世界史
夕飯
文章読解
漢文
古文
数学
休憩
英語
受験情報を参考に
夏休みの過ごし方を
決めたりする

ところが
大多数の受験生は
自分の立てた
計画通りに
勉強が進まない
高い確率で
計画が破綻し
勉強は失敗する
世界史
日本史
復習
睡眠
文章読解
漢文
古文
数学
休憩
英語
身じたく

たしかに……
計画立てても
なんにもできずに
夏休みって終わる
私も……
一度も上手く勉強
できたことがない

自分の立てた
計画通り
実行できないのは
原因があるの
原因？

計画倒れに
終わる原因は
立てた計画が
自分の性格に
合っていないから

性格？

人にはそれぞれ
性格があるでしょ
睡眠
復習
英語
夕飯
身じたく
古文・漢文
休憩
世界史
休憩
数学
自分の性格に
合わない計画を
立てても
全く機能しない
かえって大きな失敗に
繋がってしまう

参考・協力：ヒューマンロジック研究所「FFS（Five Factors & Stress）理論」（開発者・小林惠智博士）

二人は本を
読むとします
気になる本は
同時にいろいろ読むか
一冊を読み終わってから
次の本を読むか

私はあれこれ
読む派かな
ボクは
一冊を読み終わって
次にいくタイプかと

ハイ
わかりました

早瀬さんは
拡散型
天野くんは
保全型

へえ……
……って
どう違うんですか?

早瀬さんの
拡散型は
読みたい本は
次々と手をつける
つまらないものは
途中で止めても
気にならない

こういうタイプは
面白いと思えたら
すぐに動くタイプ
言い換えると
体験型

体験型は
「面白そう」「やってみたい」と
思えることが重要
やってみたいことを
どんどん試していって
体験から自分の仮説を
検証していくタイプで
自由に動けないと
ストレスを感じる

天野くんの
保全型は
一冊を最後まで
読んでから
次の本を読む
読み切ってから
じゃないと
不安になる

こういうタイプは
着実に一冊ずつ
こなしていく
言い換えると
積み上げ型

積み上げ型は
「ちゃんとやりたい」
「失敗したくない」という
思いが強い
計画してから
準備して取りかかる
その経験を次に活かして
成功体験を積み上げる
だから
なにも指針がないと
ストレスを感じる
方法
理論

わかる〜〜〜
私 完全に
拡散型！

ボクも……
まさしく
保全型だ

だから二人には
全く別々の
勉強計画が
必要なの
仮に同じ計画で
取り組めば
どちらか一方が
失敗する可能性が高い

危なかったね
ホントに

じゃあ
私たちのために
2種類の計画を
立ててくれたんですか？

そうよ
まさに二人の性格に
ぴったりの
夏休みの勉強法だから
安心して

はい
どうぞ

へえ……

拡散型の夏休み5ヵ条

① 勉強する場所は気分で決めろ！

② ノルマは5日間の中で
自由に調整しろ！

③ 憧れの人をロールモデルにしろ！

④ テンションがあがる
問題集を1冊見つけろ！

⑤ ゲーム感覚で、
ハイレベルな問題に挑戦しろ！

保全型の夏休み5ヵ条

① 勉強する場所は固定しろ！

② 1日ごとのノルマを決めろ！

③ 仲間に進捗状況を報告しろ！

④ 今持っている問題集を
徹底的にやれ！

⑤ ハイレベルな問題には
手を出すな！

天野くんは？
ちょっと見せて

うん

わぁ……
まるで正反対
勉強する場所も
全然違う

保全型の天野くんは
心配事をなるべく
なくすことが大事

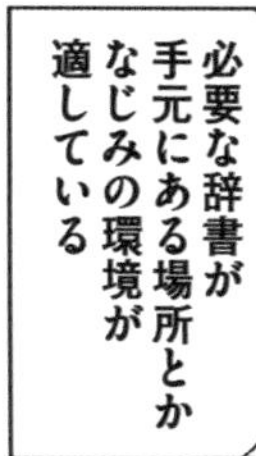
必要な辞書が
手元にある場所とか
なじみの環境が
適している

一方 拡散型は
「わくわくする」
ことが大事
○×児童館
△○図書館
勉強場所は
その日の気分によって
変えていい

ノルマの決め方も違う
積み上げ型の天野くんは
毎日確実にこなすことが
大事
早瀬さんは逆
体験型は
「タスク」になると
重圧を感じる

だから早瀬さんは
ノルマは5日ごとに
決める
一日にやることは
その日の気分で
決めていい
ただし5日のノルマは
必ず達成できるように
調整すること
1
2
3
4
5

私から
5日ごとに
テストを用意して
メールで送るから
解いて返信してね
それ助かる
ありがとう
ございます

登場人物

桜木建二（さくらぎ けんじ）

『ドラゴン桜』『ドラゴン桜2』の主人公。弁護士で元暴走族。龍山高校を進学校として再建するため、東大への進学実績を作ろうと生徒、教師らを合理的かつ独特のメソッドで叱咤激励する。『2』では自ら理事に就任した。

水野直美（みずの なおみ）

『ドラゴン桜』で桜木や講師たちに導かれ東大現役合格を果たした生徒。『2』では、桜木の片腕として、再び落ちぶれかけている母校の進学指導に当たる。

矢島勇介（やじま ゆうすけ）

水野と共に東大を目指した龍山高校の生徒。『2』でも意外な形で再登場している。

大沢賢治（おおさわ けんじ）

水野・矢島とは別の学校に通う、スポーツも勉強もできる天才肌の高校生。水野が好意を寄せる。

早瀬菜緒（はやせ なお）

『2』で東大専門コースに入り東大を目指す。活発、気分屋で「努力できない」タイプ。家はちゃんこ屋。

天野晃一郎（あまの こういちろう）

『2』で早瀬とともに東大を目指す。生真面目な努力家だが中高受験の失敗からコンプレックスを抱く。

自分の性格

『ドラゴン桜2』94限目「タイプ別 夏休みの過ごし方」の前半を読んでいただきました。ご自身は「保全型」「拡散型」のどちらに近いでしょうか、そして、学びの際に「あるある」と感じることが、たくさん出てきたのではないでしょうか。

この回で描かれた「自分の性格を知り、それに合った学びの方法を採ることで効率が劇的にアップする（合わないやり方を選ぶと、ほぼ計画倒れに終わる）」という論旨は、おそらくすんなりご理解いただけたのではないかと思います。

では、自分の性格はどのように診断すればいいのか。

実はこの回は、作者の三田紀房さんが所属するクリエイター・エージェンシー「コルク」の代表、佐渡島庸平さんからご依頼を受けて、設定にご協力しました。佐渡島さんは自ら率いるコルクの組織運営にＦＦＳ理論を熱心に活用され、これは「学び」に大いに活かせると考えて、『ドラゴン桜2』の大きな要素として採り入れられたのです。

作中の〝性格診断〟で登場する「保全型」「拡散型」というのは、我々ヒューマンロジック研究所が用いる「ＦＦＳ理論（Five Factors & Stress）」に基づく言葉です。ＦＦＳ理論は、人間の特性を５つの因子、「凝縮性」「受容性」「弁別性」「拡散性」「保全性」に整理し、それぞれの因子の数値を比較することによって、その人が示す反応・行動を計測するものです。これは占いの類いではなく、ストレス学、生理学をベースにして２万人を対象にした研究から導かれた科学的な理論なのです。

ついでにちょっと補足ですが、これは人間を５タイプの「どれか」に分類するもの、ではないことにご注意ください。５つの因子はどの人の中にも存在します。ＦＦＳ理論では、５つの因子の多寡とその順番によって、個性が理解できる、と考えるのです。

日本人の65％は「保全性」が高い

あれ？　５つの因子のはずなのにマンガでは２つしか出てこない。はい、その通りです。「保全性」「拡散性」は気質（先天的）に由来する因子で、この２つの因子のどちらかが「学び」に一番影響を与えているからです。他の因子はさておき、「保全性」の因子が「拡散性」の因子より高ければ「保全型」、「拡散性」が「保全性」より高ければ「拡散型」とマンガでは表記しました。本書では「保全性」の高い人、「拡散性」の高い人と表記します。

保全性、拡散性とも「情動（好き嫌い）」による行動判断に関わる因子です。どちらも生まれつきの性向が強く出るため、その人の行動に大きな影響を与えます。残る3つの因子は社会的＝後天的な影響が大きいと考えられます。

ちなみに我々、ヒューマンロジック研究所の調査によれば、日本人の65％は「保全性」の因子が「拡散性」より高く、35％がその逆となります。この分類と意味を理解するだけでも、日本の企業から官公庁、NPOなどを問わず、組織の生産性や個人の働きやすさが激変するのですが……という話を前著では書きました。

『ドラゴン桜2』では、早瀬と天野は正反対の特性を持っており、それぞれ拡散性、保全性が高い人の典型的な特徴を示しています。FFS理論に基づいて2人のキャラクターを見てみても、その描き分けは見事としか言いようがありません。作者の三田紀房さんは、まさかずっとFFS理論に沿って人物造形をしたわけもないのに、12巻まで来た時点で、本当の人間から得た大量のデータ（現在、我々の手元にはざっと80万件のサンプルがあります）とすんなりかみ合っている。マンガを描く人の観察眼というのはこんなにも鋭いものかと感嘆しました。

『宇宙兄弟』の作者・小山宙哉さんもそうでしたが、作家は物語を紡ぐとき、空想の世界でなくリアルなシーンを描くために、実在するような人物をリアルに描くのだと思います。そのために、日常にいる人たちをよく観察して、「この人なら、こう学んでいるに違いない」

と想像するのだと思います。

私の場合はつい、「この人のあの発言やこの行動は、この因子の影響だ」と考えてしまいます。すべての言動には理由があると考え、その理由のすべてをＦＦＳ理論の因子で解説しようとする。いわば〝職業病〟です。

ＦＦＳ理論の簡易診断をしてみよう

本書の本題に戻りましょう。

『ドラゴン桜2』のこの回では、「本の読み方」でごく簡単に診断させていただきましたが、せっかくですのでＦＦＳ理論の本来の姿により近い形で、「保全性」、「拡散性」、その他の3因子を含めたご自身の個性を知っていただこうと思います。16ページに簡易チェックを用意しました。

先に申し上げたとおり、ＦＦＳ理論は5つの因子で構成されています。数値の一番高い因子が、その人の特徴に一番影響を与えています。保全性、拡散性はもちろん、それ以外の因子が第一因子だった場合でも、何がストレスになるのか、ネガティブになったときに、周囲にはどのように映っているかが分かります。

自分に合った学習スタイルを知るには、拡散性と保全性のどちらが高いかで判断しますが、他の3因子は、社会性にかかわる因子ですので、どんな教材（どんな人）から学ぶといいか、「正解」と言える理由や背景を知りたいかどうかを判断する材料になります（314ページに詳しく書きました）。

拡散・保全の因子が拮抗する人の注意点

ここで気をつけたいことが一つあります。「拡散性」と「保全性」、どちらの因子も同じくらいの比率で持ち合わせている人も、全体の1割ほどはいるという事実です。

そういう人は、拡散性が高い人っぽく自由に動き出したくなるのに、保全性の安全志向も働いて「動きたいのに動き出せない」といった、〝逡巡してしまう〟状態が続くこともあるのです。拮抗している場合、両方の特徴を持ち合わせますが、最終的には保全性の影響が出やすくなります。

自分が「拡散性・保全性の拮抗型」だなと気づいたなら、まずは保全性の強みを大いに伸ばして、勉強その他の基礎をしっかり積み上げましょう。基礎の積み上げにある程度の自信が持てるようになれば、安心を得た状態で、拡散性の強みである大胆な行動に打って出ることもできるようになっていくでしょう。

ＦＦＳ理論で掴んだ自分の性格をもとに、自分に合った勉強の方法を知ることができれば、その応用で自分の子どもや部下、生徒に、のびのびと勉強・成長できるよう指導することもできます。「言われたとおりにしたら、思わぬ効果があった」と、信頼を勝ち得ることにもつながるでしょうし、何より勉強は、本人が楽しくやることが一番ですからね。

なお、お子さんなどの診断を、目につく振る舞いやよく口にする言葉などからある程度行うことも可能です。これについては、316ページをご覧ください。

第1章

学びには「型」がある

「拡散性」「保全性」と学びの「型」

Five Factors & Stress

あなたはいきなり水に飛び込めるタイプですか？

簡易診断の結果はいかがでしたか。ご自身が「拡散性」が高いタイプなのか、それとも「保全性」が高いタイプなのかが把握できたことと思います。これからそれぞれに合った勉強方法について『ドラゴン桜』の名シーンとともに考えていきますが、最初にお伝えしたいのは、それぞれの「学び型」の特徴です。

『ドラゴン桜』4巻31限目

人が何か新しいことを学ぶときの取り組み方や、獲得した情報を知恵へと昇華させる方法は、「拡散性」の高い人と、「保全性」の高い人とでは異なります。この「学び型」をしっかりと理解することで、自分に合った勉強法を選びやすくなり、また、それらの勉強法での学びを深めていくことができます。つまり、これからお伝えする「学び型」は、「拡散性」「保全性」のそれぞれにとって、すべての学びの基本型となるものです。

では、上の『ドラゴン桜』の一コマをどうぞ。

「水泳を覚えるには　まず　水に飛び込むこと」

これを見てどう思われたでしょうか。

「それはそうだ、まず飛び込まないと」と思った方は、「拡散性」が高い人。

「それは怖い、ちゃんと水泳の基本を理解してからだよ」と思った方は「保全性」が高い人。

そう言い切ってもいいくらい、この一コマへの印象からそれぞれの「学び型」の特徴が見えてきます。『ドラゴン桜』にはこのように、保全性、拡散性の自己認識につながる話や、タイプに合った学びの型がいくつも出てくるのです。

日本人には「保全性」の高い人のほうが多い（42ページ参照）ので、学びの「型」も、保全性が高い人に適したほうが「当たり前」と受け止められることが多いようです。

たとえば小学校で、新学年を迎え、新しい国語の教科書が配られたときに、「なんで説明文からやらなきゃいけないの？　僕（私）は詩からやりたい」と言い出す子がいたら、学習指導要領に沿って授業を進めたい先生からすれば、「わがままな子」「自分勝手な子」とレッテルを貼られてしまいそうです。

しかし、FFS理論の観点からすれば、この児童はわがままでも自分勝手でもありません。ただ単に、「学びの『型』が一般的な（「保全性」の高い）人とは違う」だけです。

体験を通して概念化するのが「拡散性」の学び方

もし、教科書の順番に異を唱える児童がいたとしたら、その子どもはおそらく「拡散性」の高いタイプだと考えられます。

「拡散性」の高い人の学びは、まず興味から入ります。「拡散性」は気質に起因する因子であり、「好き」や「面白そう」などの情動が学習動機になるからです。

「拡散性」の高い人は、「これ、面白そう」「好きだな」と思ったら、すぐに動きます。それが未知の領域への挑戦でも、「なんかできそう」と楽観的に考えて、とりあえずやってみます。失敗するとは思っていません。というより、したらどうしようという考えがない。やって失敗しても、周りの目を気にしないので、「まあ、いいか」と気楽なものです。

また、首尾よくできたとしても、「それはそれ」。「できたこと」に特別な価値を感じることはありません。むしろ、難なくできたことで、「なんだ、こんなものか」と興味を失うこともあります。そして、また別のことに興味が向き始めるのです。

一旦興味をなくしたら、いくら周りから「すごいね」と称賛されても、「別に……」と素っ気ない態度を取ってしまうことも。どこかのタレントのようです。もう興味のないことは、「自分がやった事実すら、チャラにしたい」とさえ思ったりします。

この「拡散性」の高い人の学び型を分かりやすく見せてくれるのが、『ドラゴン桜』の大沢賢治です。「勉強がイヤになることないの？」と聞く水野に、大沢は「どうかな……考えたことないし……」と答えます。

大沢は「地頭がよく、苦労しないで東大合格確実のチートキャラ」のように見えるのですが、実は、こんな経験をしていました。

ジ
ジ
ねえ……
どうしてそんなふうに
なったの？
そういうふうに
育てられたとか……
ジジ…
ウチは教育熱心
じゃないよ
習い事も
行かなかったし
ほとんど
かまわれなかったなぁ

でも…きっと何か
あったはずよ
じゃないと
そんなふうに
なるはずがない
ミ～～ン。
ミ～～ン。
なんかあった
かなあ……
ミ～～ン。
ミ～～ン。
あ……
え……
なに？

ウルトラマン！
ウルトラマン？
そう……ウルトラマン
ミ〜〜ッ
ミ〜〜ッ
幼稚園の頃ウルトラマンがめちゃくちゃ好きになって

それで母親が
ウルトラマン図鑑を
買ってくれた
んだよね
うれしくて
朝から晩まで
読んでたから
全部覚えちゃった
そうしたらまた
別のを買ってくれて
それも覚えちゃって
そのうち
ウルトラマンに
関することなら
すべて頭に入ってた

へえ……
でもそれって
ウルトラマンでしょ
……

そして次は
車……
車?

そう……
車が好きになって
メーカーと車種
すべて覚えて……
そしたら
車ってなんで
走るんだろうと思った

「なんで」
……か

駆動システムや
エンジンのことも
知りたくなって　さらに
本を読むようになった

実際に整備工場に
行っておじさんから
教えてもらったりも
したなあ
そうしたら
動力について
知りたくなって
船とか……

ロケットとか
全部調べて
今度は宇宙に
興味が湧いてきて
星座全部覚えて
星やビックバンについて
調べてみたなあ

あと国旗もあった
あれで世界のことが
わかって……
そのおかげで地理って
一度も勉強してないけど
すごく得意

あ……虫もある
それで生命について
調べたから
生物も得意だし…

そんなに
いろいろ……
それもとことん
調べるところが
スゴい……
どうしても
そうなっちゃう
んだよね

でも……
すべての
始まりって……
ふ〜…
やっぱり最初の
ウルトラマンだと
思うなあ……
ふ〜〜〜っ

その時お母さんが図鑑を買ってくれたことがきっかけになったってこと？

うん……
それもすぐ次を買ってくれたことが大きかったと思う

あれでもっと知りたいと思ったから
三四郎池（育徳園

もし……ウルトラマンの知識なんてなんの役にも立たないって　買ってくれなかったら
全然違ってたんじゃないかなあ……

『ドラゴン桜』10巻88限目

大沢は「ウルトラマン」から「車」「動力」「船」「ロケット」「宇宙」「国旗」「虫」「生命」と何にでも興味を持ち、興味を持ったら深く追究する子どもでした。ただ図鑑を読んで知識を増やすだけではなく、自動車の整備工場に行って、実際に車が動く仕組みを学んだことも語られています（ここはさらっと描かれますが、本を読むだけで終わらなかったことは、大事な点です）。

脈絡がないけれど、いつか原理原則にたどりつく

「拡散性」の高い人は次から次へと興味が変わっていくため、傍から見ると、「こんなに脈絡がないことをやって、意味があるのかな」と思うかもしれません。

しかし、好きなことを自由に体験できることそのものが「拡散性」の高い人には重要なのです。ですから、教科書に順番を決められるのは窮屈であり、ストレスに感じてしまいます。おそらく大沢は「普段はいい子だけど、時々突拍子もないことを言う」と、先生に思われていたのではないでしょうか（ちなみに、教科書の順番に沿って進めていくことで安心するのは、「保全性」の高い人です。「保全性」の高い人の学び型についてはこの後で解説します）。

「拡散性」の高い人にとって、学びのキーワードは「体験」です。気分のままに様々な分

野に触れるのは大前提として、そこで数々の失敗や成功の体験を積むことが重要です。それを通して、体験に共通する「普遍性」や「法則性」に気づくことができるからです。
自分の体験を振り返り、突き詰めていくと、「あっ、なるほど。こういう視点から考えると、みんな同じことを言っているのか」とすべてがつながる瞬間があります。
「脈絡のない体験を繰り返しながら、一つの概念に昇華させていく」のが、「拡散性」が高いタイプの学び型です。場合によっては、飽きることなく一つのことを深めていくこともありますが、その場合も概念化によって物事の原理原則を追究する姿勢に変わりはありません。
「概念」の意味を改めて確認しておくと、「経験される多くの事物から共通の内容を取り出し（抽象）、個々の事物のみに属する偶然的な性質を捨てる（捨象）こと」と広辞苑にあります。つまり概念化とは、「枝葉末節を削ぎ落とし、本質に迫ること」と言い換えることもできるのです。
具体的な例でお見せしたほうが分かりやすいですね。
桜木は「歴史は暗記ばかりでつまらない」とぼやく水野と矢島に、「概念化」の見事なお手本を語っています。
歴史が出来事の羅列のように見えるのは、あることを省いているからだ、と言うのです。

それは〝人間の感情〟だ

感情……

「どこへ行った」…「何を食べた」…
これに…

行ってどう思ったか食べてその時はどう感じたか
感情を付け加えると日記は物語性を持って一気に面白さが増す

教科書がつまらない理由は…
出来事の羅列になっていて人間の感情が書いてないからだ

そこで登場する人物の感情を想像して加えてみる
するとその事件は一気に面白くなり頭にスイスイ入ってくる

フンフン…

歴史が動いた多くの場面で人は…
ある感情に突き動かされているそれは……

「あのヤロ〜〜ムカツク」だ
あのヤロ〜〜
ムカツク？
だいたい歴史は侵略と戦争の繰り返し
戦争は早い話大がかりなケンカ

ケンカの原因は大概は相手が気に入らないから
個人間の争いはもちろん民衆対権力者や国対国など…対立のもとはすべてこの感情にある

『ドラゴン桜』13巻114限目

国家間の大事件である戦争も、つまるところ「『あのヤロ～～ ムカック』だ」と概念化されると、「誰が誰にどうムカついたんだ」と、原因がすっと頭に入ってきますよね。

積み上げて体系化するのが「保全性」の学び方

では、「保全性」の高い人の学び型はどうでしょうか。
「保全性」という因子も、「拡散性」と同じく気質に起因するため、「好きなもの」や「興味がある」ことに積極的に取り組もうとします。ただし、「好きだから」「興味があるから」といって、それだけでは突き進めないのが、「拡散性」の高い人とは違うところです。
「保全性」の高い人は、「失敗したくない」「確実に実現させたい」という気持ちが強いので、じっくりと準備をして、計画を立ててから進めます。慎重に、丁寧に進めていくのが、このタイプの特徴です。
また、周囲の目が気になるので、もし「嫌い」「興味がない」と思っても、最初から突き放すことはありません。周りの状況を見ながら、「やったほうがよさそう」と感じたら、嫌なことや興味のないことにも取り組みます。
そんな「保全性」の高い人が真っ先にやることは、情報収集です。
事前に情報収集しておけば、あれこれ試しながらやり方を見つける手間が省けると考えるからです。できる限り自分のエネルギーを使わず、リスクを背負わずに、確実に実現したい。そのためには情報収集が不可欠なのです。「保全性」の高い人は〝省エネ的〟な動きを好みます。

未知の領域には不安を感じるため、その不安を払拭できるまでは行動よりも準備や計画に時間を使います。着実に進められそうなイメージが掴めるまでは動かない――こう言うと消極的に聞こえるかもしれませんが、「やらない」のではなく、「やる」ためにトコトン慎重なのです。

『ドラゴン桜』に、桜木が龍山高校の先生たちを集めて、「東大に入る人の考え方」を説明するシーンがあります。「東大」に限らず、「学び型」の一つのスタイルとして聞いてみましょう。

設問はこんな内容です。あなたは今、川の前に立っています。「川幅は約20m、流れは遅く、深さは最大で腰のやや下くらいまでだが、上流にも下流にも橋は見当たらない」。そしてあなたは、「向こう岸にどうしても渡りたい」と思っています。

さてどうするでしょう。龍山高校の先生たちは「濡れるのは嫌だけど川に入って渡る」と答えますが、桜木は、それは調べるのが面倒くさいからだろう、とバッサリ。

では、東大生はどう答えるのか。こう答えるんだ、と桜木は返します。

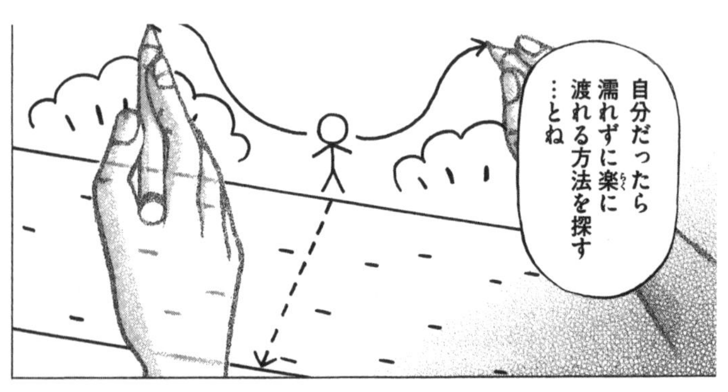
自分だったら
濡れずに楽に
渡れる方法を探す
…とね

どうやって?
だって橋は
ないんでしょ
?

橋はなくても
渡し舟が
あるかもしれない
まずは民家を探して
そこに住む人に
どうやって川を
渡っているのか
尋ねることもできる…

ああ…
なるほど…
そんな…あるかも
わからないものを
探して回るなんて
イヤよ…
面倒臭いわ

ところが…
東大へ行くやつの
発想は違う…
たとえ
遠回りに思えても
まずは情報を集める

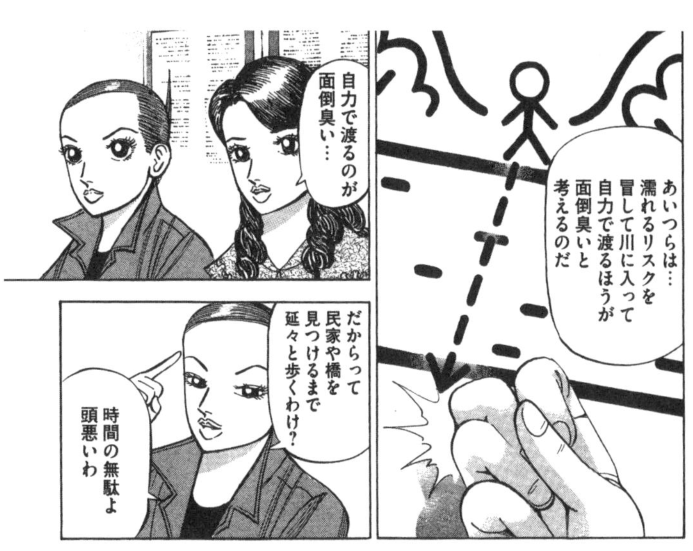

あいつらは…濡れるリスクを冒して川に入って自力で渡るほうが面倒臭いと考えるのだ
自力で渡るのが面倒臭い…
だからって民家や橋を見つけるまで延々と歩くわけ?
時間の無駄よ頭悪いわ

あいつらは決してそうは思わない
頭とは…自分の力を極力使わず楽をするために働かせるものだからな

情報集めのほうが絶対面倒よ
安易に川に入って濡れて歩くほうが後々大変になると考えているんだ

『ドラゴン桜』12巻108限目

ここで桜木が説明しているのが、「保全性」の高い人の考え方です。

最初に情報を集めて、「これなら着実に進めていける」と見通しが立つと、「保全性」の高い人はようやく動き始めます。動き始めてからも、基本的なことから一つずつ段階的に進んでいきます。例えば算数なら、「足し算」の次に「引き算」、それから九九を覚えて「かけ算」に進むという順番です。

また、一つのことを学ぶと、その周辺の知識もインプットして、関連知識を増やしていきます。「保全性」の高い人は、「抜け漏れがある」と思うと不安なのです。その心理は、「どんな質問を受けても答えられるように準備しておきたい」。質問された際に答えられずに、恥ずかしい思いをするのが嫌なのです。

算数でいえば、まず「足し算」という枠組みを作って囲い込み、抜け漏れがないか確認します。単語を辞書で調べる場合も、語源にさかのぼったり、関連語や対比語を読み込んだりして、語彙の知識をじわじわ拡張していきます。一つひとつのピースを細かく詰めていく感じです。繰り返し練習して、100点満点が取れるくらいの完璧な状態に仕上げて、ようやく不安がなくなります。そして、次の段階である「引き算」へと進んでいきます。

こうして一つずつ積み上げていきます。

「保全性」の高い人の学び型は何か、といえば、獲得した知識を系統化して整理し、インデックスをつけて、いつでも引き出せるように「体系化」していくこと、となります。

「体系」とは、広辞苑によると「一定の原理で組織された知識の統一的全体」を指します。知識が体系化されている人は、いわゆる「引き出しの多い人」です。初めてのケースに遭遇しても、体系化された知識から関連する情報を引っ張り出して、対処することができます。

体系化された知識の代表格といえば、教科書です。

国語にしても算数にしても、学習指導要領に則り「教科書通りに進める」ことが、体系化された学習方法に他なりません。その意味で、教科書は日本では多数派である「保全性」の高い人にとって安心できて、一番理解しやすい教材なのです。

もうお気づきかと思いますが、現在多くの小学校で実施されている学習指導要領に基づく授業は、積み上げて体系化していく「保全性」向きのやり方です。一方、「拡散性」の高い子どもには、残念ながらこの教え方は「合わない」と言わざるを得ません。「教科書が面白くない」「進め方が気に入らない」という理由で、落ちこぼれてしまう「拡散性」の高い子どももいます。

「拡散性」の高い子どもに必要なのは、興味のあることを自由に体験できる学習環境です。どちらかと言えば、米国流の「教材を使わず、それぞれがどう考えるかを問うディスカッションベースの授業」が向きます。米国では、日本とは対照的に「拡散性」の高い人がマジョリティですから、「拡散性」に合った授業が行われているのも当然かもしれません。

算数の学び方に表れる個性の違い

体験を通して概念化する「拡散性」と、積み上げながら体系化する「保全性」。個性による学び方の違いが際立つのは、算数を学ぶときです。次の計算式を見てください。

□○□＝4

これは、「□には数字、○には加減乗除の記号（＋－×÷）を入れて、結果が『4』になるものをできるだけ多く答えましょう」という問題です。正解は一つではなく、頭をどれだけ柔軟にして多くのパターンを出せるかが勝負。まるでクイズのようです。

このような穴埋め問題を好むのは、「拡散性」の高い子どもです。□や○を自由に決められて、ゲーム感覚で取り組める問題は、彼らの興味をそそります。解答の自由度の高さから、「もっと他の可能性はないのか」と探求心が刺激されて、本人の興味次第では微分や積分まで到達することもあり得ます。学校でまだ学んでいない内容でも、興味が勝って飛び越えていきます。興味の持たせ方としては、こんな手もあります。

ラインで繋がったら
私と3人で
ゲームをする
ゲーム……

ルールは簡単
送られてきた数字の
素因数分解を
即座に行い
スピードを競う

私が数字を打ったら
高速で返せ
先に正解を
送信できたほうが
勝ちだ

名付けてLINEバトルだ!
1001
7 11 13
7 11 13
123
3 41
3 41
2022
2 3 337
2 3 337
345
3 5 23
3 5 23

LINEバトル?
バカ
バカ
水野もグループに入れ
はい

『ドラゴン桜2』8巻62限目

『ドラゴン桜』に続いて『ドラゴン桜2』でも登場する名物数学講師、柳鉄之介がただのスパルタ教師ではないことを見せつける名場面です。LINEグループを使って素因数分解の特訓を行うなど、「そのお歳で、お見事！」としか申し上げられません。

面白さ、実体験が「拡散性」の学びには欠かせない

このように、本人が「面白そう」と思えるように興味づけることはどんな子供にとっても（そして大人にとっても）非常に重要ですが、特に、「拡散性」の高い人は、やる気をくすぐられるはずです。

また、「拡散性」の高い子どもに算数を体験させるには、実際に買い物をさせるのが効果的です。店の主人とやり取りできる、昔ながらの市場での買い物が適しているでしょう。例えば、子どもに1000円札を渡して「果物屋さんでリンゴを3個、バナナを一房買ってきて。おつりが出たらお小遣いにしていいよ」と伝えます。「おつりをお小遣いにできる」と言われたら、「どうすればお小遣いが増やせるかな」と考えて、俄然やる気が出てきます。

ドラッグストアや家電量販店の「ポイント20％還元」なども、「割引」「％」といった概念を学ぶチャンスです。ポイント分は買い物していいよ、と言われたら、ゲーム感覚で本気で取り組み、それが算数への興味につながり、算数が好きになっていきます。要は「面

白い」という興味を湧かせること。学校で「%」を習っていなくても自分で学んでしまう。そんなことが自然に起きるのが、「拡散性」の体験型の学びです。

次に挙げるのは、皆さんもお馴染みの計算式です。

3＋5＝□
5－2＝□
4×3＝□
8÷2＝□

こうしたいわゆる計算ドリルは、「保全性」の高い子どもに向いています。答えが一つに決まっていて、答え合わせで「できたかどうか」を確認しながら進められるので安心なのです。

「保全性」の高い子どもは、足し算をマスターしてから、引き算、その次に掛け算、割り算、と一つずつ積み上げていきます。もし不安を感じたら、もう一度一つ前に戻って、足し算、引き算からやり直します。不安が残る状態で次の段階に進んでも、気になって気になって、頭に入ってきません。不安を払拭しながら、階段を一歩一歩登るような進め方が適しています。

指導や育成は相手の個性に合わせるのが鉄則

「学び型」が大きく違うならば、導く側である親、上司、教師が、それに合わせた指導をするかどうかで、成果は大きく変わることも容易に想像できますよね。

冒頭に示した『ドラゴン桜』のコマを改めて見てみましょう。

「水泳を覚えるには、まず水に飛び込むこと」

これは、英語講師の川口洋が、英語攻略の秘訣を水泳に例えて表現したものです。「英文を読んで理解する訓練よりも、実践形式で英作文を作ってみよう」という意味でこのシーンでは使われています。

川口が勧める学習法は、まさに体験型です。

ということは、「拡散性」の高い人にはぴったりです。

畳の上の水練なんてやらないで、いきなり水にザブンと飛び込もう。人間そう簡単には溺れない。「犬かきでもなんでもいいから、とにかく浮いて前へ進む。そのうち泳ぎ方をいろいろ試したくなり、フォームも自然と身につき、知らないうちに泳いでいることになる」と川口は言っています。

しかし、「保全性」の高い人に同じ方法をアドバイスすると、逆効果になる恐れがあります。「保全性」の高い人は未知の領域に対して不安を感じるため、準備や計画をしっかりしてからでなければ動きませんし、動き始めてからも、初歩的なことから一つひとつ階段を上るように習得していきたいのです。「まずは体験してみよう」という指導は、単純に不安を煽ることになりかねません。「保全性」の高い相手には、順序立てて説明する、事前に資料を渡して予習をさせる、理解したことを確認して不安を払拭しながら進める、などを意識するとよいでしょう。

指導する側と学ぶ側の相性はとても大事

親、教師、上司、トレーナーなど指導・育成する側が「拡散性」の高い人の場合、指導・育成はどうしても体験重視型になりがちです。自分が学んできたやり方で「いいからやってみろ」と相手にも教えようとするのです。指導・育成を担う側と、指導・育成される側の気質の因子が異なる場合は注意が必要です。指導側は自分がやってきた学び方ではなく、相手の個性に合った学び方を意識して接する。これが鉄則です。

「保全性」の高い人が指導・育成する側で、「拡散性」の高い人が指導・育成される側の場合の注意点にも触れておきましょう。

「保全性」の高い上司や教師が、順序立てて説明しようとすると、「拡散性」の高い部下や生徒は「やりたいようにやれない、つまらない」と感じて、興味を失ってしまいます。上司や教師を馬鹿にしたような態度になることもあります。悪気はまったくありませんが、相手に対してそう感じさせてしまうのです。

「拡散性」の高い相手には、ゲーム感覚を取り入れた興味づけや、最初は極力自由にやらせてみることを意識しましょう。

経験豊富な上司からすれば、「そんなことはやっても無駄だから、止めておけ」と言いたくなることもあるでしょう。しかし、「やってみないと気が済まない」「やってみないと分からない」のだと理解して、見守るのが一番です。

最もスムーズなのは、「拡散性」には「拡散性」、「保全性」には「保全性」のように、育成する側と育成される側を同じ因子でマッチングすることです。とはいえ一人の講師が複数の生徒を担当する学校や塾では難しいですから、教える側が「拡散性」と「保全性」のどちらであっても、学ぶ側の個性に合うカリキュラムとテキストを用意して、個々に合わせたテキストを渡し、進め方も変えるハイブリッド型を導入するのが理想的です。

ここまで「拡散性」と「保全性」の個性による学び方の違いを見てきましたが、是非お伝えしたいのは、「どちらの学び方にも優劣はない」ということです。

大切なのは、自分の学び方のクセを理解し、それを活かして強みに変えることです。「拡散性」の高い人は概念化の学び型を究め、「保全性」の高い人は体系化の学び型を究めれば、強力な武器になります。

では、どうやって究めるのか。後ほど詳しく説明しますが、ざっと掴んでいただきましょう。

拡散性は「体験の質」がポイント

「拡散性」の概念化型の学びの場合は、「体験の質」を上げることがポイントです。一つひとつの体験から気づきを得て、普遍性や法則性を見つけていくには、体験を通した仮説・検証が必要です。そこで、体験して「面白かった」とか「つまらなかった」という感想だけで終わるのではなく、「こうするとうまくいくと思ったけれど、うまくいかなかったな。次はこう変えてみよう」と仮説・検証することで、学びになります。

仮説・検証とは、算数で例えるとこういうことです。

5＋3＝8、という数式があります。この両辺に「－3」を足してみます。

5＋3－3＝8－3　すなわち

5＝8－3　となります。この一連のプロセスから、「数字の＋－を逆にして、『＝』

の右辺から左辺へ動かしても『=』は成立する」ことに気づき、さらに「だとすれば、乗除もイケるかも?」と仮説を立てます。

8×2=16

8=16÷2

イケた、これいいね!……と、こうなるわけです。

うまくいった、で止めずに「なぜうまくいった(いかなかった)のか」「もしそういう理由なら、別の場合にも使える(使えない)のではないか」と展開するクセを付けるわけです。これは営業でも、接客でも、あるいは自分の学習スタイルでも同じことです。

一方で、仮説・検証をせず場当たり的な対応に終始すれば、概念化には到底たどり着けません。興味のままにあれこれ試すのはいいけれど、単に飽きっぽくて、地に足がつかない「浅い人」で終わってしまうでしょう。同じような失敗を続けることにもつながります。

概念化できる人と、概念化できない人とでは、転職、趣味やスポーツ、マイブームといった経歴や行動は似ていても、それを「学び」として活かせるかどうかで大差が付き、ひいてはキャリアや、人生で歩む道筋が大きく違っていくのです。

概念化型の学びを究めた人は、物事の本質を理解し、本質以外のことは自然と削ぎ落とすことができています。いわゆる「センスが良い」とか「勘所を押さえている」などと評される人たちです。

彼らは、どの分野にも通じる「成功の法則」を心得ています。なぜなら、例えばビジネスで言えば、業種・業界が違っても「ビジネスの本質は変わらない」ことを理解しているからです。

ビジネスの本質とはつまり、顧客が製品やサービスの対価として認める「顧客価値」であり、社会課題の解決によって人々を課題から解放することです。プロ経営者と呼ばれる人たちが、業種・業界を問わず実績を残せるのは、概念化によって「ビジネスの本質」を理解しているからなのです（米国と比べて日本にはプロ経営者が少ないのは、「拡散性」の出現率が米国の約半分であることが影響しているかもしれません）。

「保全性」はレンガを積むように学ぼう

「保全性」の体系化による学びでは、知識をきちんと積み上げることが大事です。そのためのイメージは「レンガの壁」です。

隙なく、漏れなく、レンガを一つずつ積み上げて壁を作るように学ぶのです。

具体的に説明しましょう。例えば、興味のあるテーマについて、本を読んで知識を得るとします。一冊読むだけでは、情報に不足や偏りがあると感じて不安なので、参考文献を頼りに同じテーマで書かれた本を何冊か読んでいきます。そうすると、そのテーマの全体像が何となくつかめてきます。一つのテーマという枠組みの中で、抜け漏れなく知識を蓄積し、死角をなくしていくことで、「この部分が足りない、分かっていない」という不安が払拭されていきます。まさにレンガで隙間のない壁を作るように、知識を「きちんと積み上げる」というわけです。

隙なく積まれた知識が「軸」を作り出す

同じテーマで複数の本を読んでいくと、「Aさんの主張とBさんの主張は、一見すると違うように見えるけれど、実は同じことを言ってる」ということが見えてきます。そういうときに「わかった！」という感覚になります。そうやって個々の知識の関連性を見つけ、グループ化して整理することで体系化していきます。Aさんのアプローチだけでなく、Bさんのアプローチでも同じ理解にたどり着くことで、「やっぱりそうなんだ」と安心できますし、そこで見つけた関連性が、物事を理解するための知識として再構築されて引き出しにしまわれるイメージです。

隙間なく、順序よく積み上げることが、結果として物事を理解するための「軸」を作りあげる、と言い換えることもできます。

「軸」を持てるまでに至れば、ただ知識を記憶しているだけではなく、未知の状況でも「あの体系が応用できるのでは」と、推論し、対応できるようになる。なぜそう考えるのかも理路整然と説明できる。こうなると「保全性」が高い人は強いのです。「拡散性」が高い人の場合の「概念化」に相当する境地でしょう。

『ドラゴン桜2』で、桜木は生徒たちに「東大の入試問題を作ってみろ」と言います。東大の入試問題は、現実社会に立脚した出題が特徴です。受験勉強漬けになっていながら、いきなり現実社会と言われても、生徒たちは戸惑うばかりです。

主人公の早瀬も天野も「何も思いつかない……」と困惑するのですが、早瀬はふと、桜木に言われて自分の家の商売（ちゃんこ屋さん）を調べてみたことがあったよね、とアイデアを掴みました。

一方、電車の中で天野は、桜木に言われて続けていた「受験勉強について英語でYouTubeで発信」を思い出しました。チャンネル登録者数の伸びを見て、「自分自身がやっていたことは、現実社会との関わりだったのか」と気づき、登録者の伸びを関数にしたら……と思いつくのです。

桜木は、問題を作れるかどうかではなく、学んだことを現実社会とリンクさせる体験、いわば学びが「軸」や「概念」になってきたかどうかを見たかったのだと思います。

ガァ

カタン
カタン
問題……
なんにも浮かばない

おっ

アクセス数が
また伸びた！
夏休みもあと半分！：Halfway through
the Summer Vacation
516回視聴 1週間前
BOSO-BOSO shadow
ing!?
最近の投稿
ウケた？
上昇カーブの
描き方が……
グラフ！

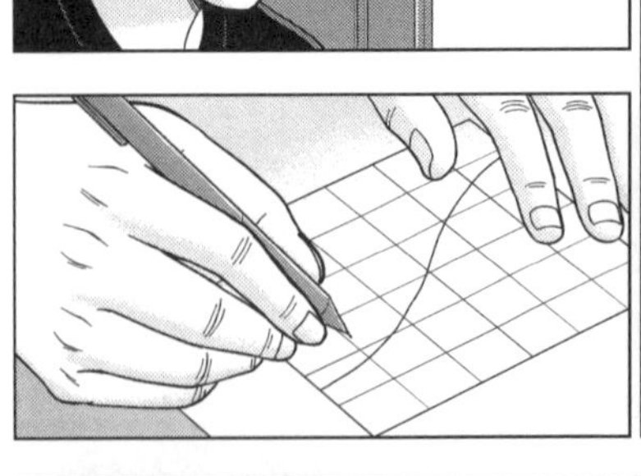

ボクの
ユーチューブの
アクセスの伸びを
グラフにしてみよう

『ドラゴン桜2』14巻106限目

『ドラゴン桜2』14巻107限目

いつもは超辛口の桜木も、身近なところから発想することに成功した二人を激賞しました。この発見は、今後も二人にとって「考える」軸として機能するはずです。「保全性」が高く、体系化を意識した学び方ができる人は、特定の分野を究めて「その道のプロ」として活躍することができます。

例えば、MBAを取得した後の活躍の仕方を「拡散性」の高い人と比べてみると、その違いがよく分かります。MBAを取得した米国人(「拡散性」が高い人が多い)は起業するのが一般的であるのに対し、日本人のMBAホルダーは帰国後、起業せずに、コンサルティングに転職する人が多かったのです。

MBAでは、ケーススタディで戦略や経営論、管理法を学んでいくスタイルを採りますが、基本は事実ベースで情報を集めて、分析フレームに入れてから仮説を立てていきます。数をこなし、過去の事業戦略や経営者の発想を追体験することで、分析フレームを使いこなせる技量と、そこからの判断力の精度を高めていくのです。積み上げていく保全性の強みをさらに強化する取り組みに他なりません。

日本人の約6割が「保全性」の高いタイプと考えると、彼らは元々保全性の強みであるマネジメント力が優れているうえに、MBAという体系化されたマネジメント手法を学んだ結果、「マネジメント領域の専門家」になる人が多かったということです。

一方米国では、「創造性は高いが、マネジメント能力が弱い」と感じる人たちが、マネジメントスキルを獲得するためにMBAを目指します。取得後は起業するのが一般的なので、MBAホルダーのベンチャー創業者が多いのです。

型を作るための「無駄」を恐れない

「努力するのが難しい」と悩む前に、重要なのは自分に合った学び型を意識することです。もう一つ付け加えるなら「無駄」を恐れないこと。

矛盾するようですが、自分に合った型を上手に使えるようになるための試行錯誤は、決して無駄ではありません。それは本人たちの学びを見守る側の教師や親、上司も同じです。大沢のお母さんが「ウルトラマンの図鑑」の2冊目を買ってくれたことを思い出してください。子どもの興味に寄り添うことで、本人の学びが花開いていったのですから。

まとめ

- 「拡散性」の高い人の学びの型は、面白いと感じる体験から「概念化」すること。
- 「保全性」の高い人の学びの型は、順序よく着実に積み上げ「体系化」すること。
- 教える際はそれぞれのタイプに合った型を用いることが基本。

『ドラゴン桜』10巻88限目

第２章

「型」の重要さを意識する

型を作る

Five Factors & Stress

「〝カタ〟がなくてお前に何ができるっていうんだ」

「拡散性」「保全性」のそれぞれに合った「学び型」として、拡散性には「概念化」の型が、保全性には「体系化」の型があります。個性によって勉強の仕方や物事の進め方は違うわけですが、一方で、これとは別に、両タイプに共通する「基本の型」があります。すなわち、勉強の土台、学びの基礎としての「型」です。

『ドラゴン桜』2巻12限目

「拡散性」「保全性」に合った「学び型」以前の問題として、勉強には「基本の型」があります。これの習得は、個性の違いにかかわらず、あらゆる人の学びの基礎となります。

「拡散性」の高い人も、「保全性」の高い人も、これを身につけることなしに深く学ぶことはできません。しかし、「基本の型」を身につける方法は、拡散性と保全性で異なります。

まずは学びの「基本の型」を知りましょう。

『ドラゴン桜』でも、桜木が折に触れ生徒たちに基本の型を作ることの重要性を説いています。

桜木が担任を務める特別進学クラスにやってきたのは、3年生の水野と矢島。彼らは、これまで机にもまともに向かったことがない、いわゆる〝落ちこぼれ〟の生徒たちです。そんな2人に桜木がまず教えたことは、「型を作る」ことでした。

あらゆる人の学びの基礎になる「型」がある

「学ぶ」という言葉は、「真似る」という意味の古語である「まねぶ」が語源とされています。このことからも分かるように、学びは「真似る」ことから始まります。先生が示す手本を真似ながら身につけていくものが、「型」と呼ばれるものです。「真似ることを学ぶ」という「基本の型」から、すべての学びはスタートします。

そもそも「型」とは一体何を指すのでしょうか。広辞苑で調べると、

- 伝統・習慣として決まった形式
- 武道・芸能・スポーツなどで規範となる方式
- ものを類に分けた時、それぞれの特質をよく表した典型。そのような形式。形態、タイプ。パターン

とあります。型とはつまり、「伝統や習慣として決まった形式」であり、「規範となる方式」であり、なぜそれらが習慣、規範となったかといえば、理に適っているからです。

武道や茶道、伝統芸能などの世界で考えると、イメージしやすいかもしれません。

これらの稽古では、初めに基本の型を作ることを重んじます。

礼儀や作法から始まり、技能や技術、歴史に培われた精神性までもが型には含まれてい

ます。先人たちが作り上げ、時を超えて伝承されてきた型には、合理性があり、無駄がありません。型から生み出される動作や仕草が美しいのは、そのためです。礼儀作法のことを「躾（しつけ）」と言いますが、この漢字はまさに、「身が美しい」と書きます。

お稽古事やスポーツだけでなく、勉強や仕事にも型が存在します。型を作ることから学びが始まるのは、勉強や仕事も同じなのです。

偏差値35から二浪して東大合格を果たした『東大読書』の著者、西岡壱誠さん（「保全性」が高く、『ドラゴン桜2』の制作にも携わっています）が、興味深いことを教えてくれました。西岡さんは、現役の時点で偏差値60を超えたものの、それ以降の成績が伸び悩んでいました。そんなとき、見つけた突破口は何だったのか。

「予備校で出会った東大志望の人たちとたくさん話すうちに、彼らには共通する勉強法があることが分かりました。彼らの勉強法を真似るようになったら、成績が伸びました」

勉強にも型があり、その習得には合理性があることを示唆するエピソードだと思います。

さて、『ドラゴン桜』には学び型、学ばせ型の両方で、基本の「型」の重要さを印象づけるエピソードが登場します。いくつか見てみましょう。前半は「スパルタによる（型の）詰め込み」の重要さ、そしてその詰め込みに真剣になることの必要性。後半は「東大の英語問題に答える際の『型』」です。これは「拡散性」、「保全性」を問わずに重要です。

今日から お前たちの
数学特別講師をして
もらうことになった
二人とも
先生のもとで
しっかり勉強しろ

はい
自己紹介しろ
バカ

早瀬菜緒です
天野晃一郎です
よろしく
お願いします
バカ
バカ

私の勉強法はスパルタだ

バカ
バカ

徹底的に詰め込む
鍛えて鍛えて鍛えまくる

時代が
変わったことなど
知ったことではない
学習環境の
変化など
私には関係ない
バカ

数学の問題を
ぶっ倒れるまで
解きまくる
それでも
ついてくるか

は……はい
バカ
はい

誓うか？
誓います
バカ

『ドラゴン桜2』8巻61限目

そうっ！表現力！

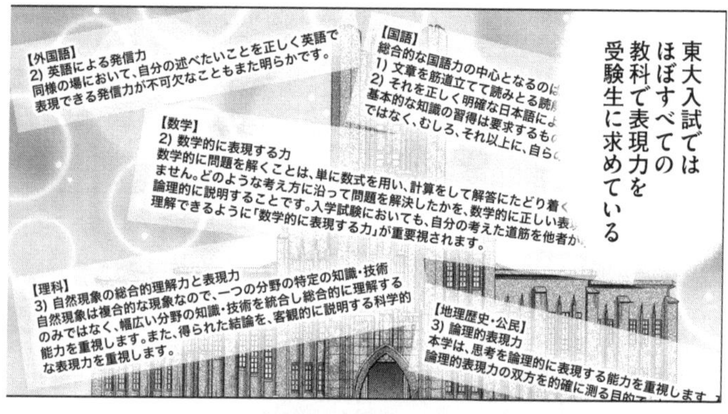
東大入試では
ほぼすべての
教科で表現力を
受験生に求めている
【国語】
総合的な国語力の中心となるの
1) 文章を筋道立てて読みとる
2) それを正しく明確な日本語に
基本的な知識の習得は要求するも
ではなく、むしろ、それ以上に、自ら
【外国語】
2) 英語による発信力
同様の場において、自分の述べたいことを正しく英語で
表現できる発信力が不可欠なこともまた明らかです。
【数学】
2) 数学的に表現する力
数学的に問題を解くことは、単に数式を用い、計算をして解答にたどり着く
ません。どのような考え方に沿って問題を解決したかを、数学的に正しい表
論理的に説明することです。入学試験においても、自分の考えた道筋を他者か
理解できるように「数学的に表現する力」が重要視されます。
【理科】
3) 自然現象の総合的理解力と表現力
自然現象は複合的な現象なので、一つの分野の特定の知識・技術
のみではなく、幅広い分野の知識・技術を統合し総合的に理解する
能力を重視します。また、得られた結論を、客観的に説明する科学的
な表現力を重視します。
【地理歴史・公民】
3) 論理的表現力
本学は、思考を論理的に表現する能力を重視します
論理的表現力の双方を的確に測る目的

ものを考える力が
あるだけでは
ダメ！
自分の考えを
まわりの人々に
理解してもらう
能力を求めている！

でも一言で
表現力といっても
よくわからない

そこで対策として
表現の型を
習得する
型を覚えれば
安全で
超便利！

型こそが
あの「ＡＢＣ法」！
A
First of all, it's
And I learned
B
I was too serious to think that
... and I was slow to act on it. That
But while I was speaking English, I
C
It doesn't have to be perfect to be understood.
I felt it was important to relax and have fun, even
if it's not appropriate.

入試に個性で
対抗しようと
しちゃダメ！
そんな
面倒臭いこと
やってられない！

型があるなら
それを使わなきゃ
損！
型を覚えて
パッパと入試を
突破しちゃおう！

入試に
個性なんか
いらない！
型を身につけて
発揮するだけで
十分！

『ドラゴン桜2』16巻129限目

「完コピ」することの価値を知る

ちょっとメタな言い方になりますが、桜木が生徒たちに教え込もうとしたのは、「『型』は、考えるよりまず実行して身につけるもの」という意識だと思います。

もっとざっくり言えば「四の五の言わずに型を完コピせよ」かもしれません。

私事で恐縮ですが、私の経験を例に説明しましょう。

私がＦＦＳ理論に出合ったのは、33歳の時でした。「人を活かす組織を作るために、この理論を日本中に広めたい」と思い、仲間と起業しました。

そこから理論開発者の小林惠智博士を師と仰いでＦＦＳ理論を学び始めたわけですが、小林博士は経済学博士、教育学博士、組織心理学者の３つの博士号を持つトリプルメジャーです。しかも、モントリオール大学のストレス研究所では生理学やストレス学も学んできた人です。片や私は心理学を少し学んだ程度で、ほぼド素人でした。また、組織を作るうえで知っておくべき経営論や戦略論も体系的に学んでいませんでした。さらに人事や労務はまったくの門外漢です。当時、博士から言われていたのは、「お前は大勢の人前では、ＦＦＳ理論の話を一切してはならぬ」。もちろん、数名の担当者との商談の場では説明を許されていましたが、その程度しか信頼されていませんでした。

このような状態で、ＦＦＳ理論の勉強と同時並行で企業への販促活動を始めることになったのです。

そこで私が実践したのは、「小林博士の丸パクリ＝完コピ」でした。企業の担当者へ説明する場面では、小林博士の一言一句に至るまで同じ言葉を真似ました。笑いを取るためのネタまで同じです。「拡散性」の高い私としては、「何かアレンジしたい」という情動は起きるものの、知識も経験も浅い私に自前のネタがあるはずもなく、真似るしか仕方なかったのです。また、基本的な知識を得るために、博士の本棚にある本と同じものを手当たり次第に買って読みました。

そして創業から3年。ようやく「話していい」と許可をいただいたのです。毎日博士の真似をして、同じ内容を話してきたわけですから、博士の思考も「型」として身についていました。まさに、「門前の小僧、習わぬ経を読む」という状態だったのです。

その後、博士が海外出張で約1週間日本を離れたとき、〝代打〟と称して私がお客様とのメールのやり取りを代行しましたが、お客様にはまったく気づかれませんでした。それくらい博士とそっくりの内容を返していたのです。

「真似る」とは、基本的には師匠と同じ言葉や動作を繰り返すことです。ただそれだけのことですが、真似ることで長年にわたり磨かれ洗練されたエッセンスまでも知らず知らずのうちに獲得していたのです。物の見方まで師匠に似てくるのです。

桜木もこう言っています。

「昔からずっと生き残っているもの、それは優れたものに違いない」

昔からずっと生き残っているものには、伝統芸能の型があり、受験勉強のテクニックがあり、第一線で活躍し続けている人の技やノウハウがあります。それらは時を超えて残っているぶん、洗練されているはずです。それを使わない手はありません。

型のないところから始めても時間だけが無駄に過ぎてしまいます。効率よく、要領よく学びの基礎を築くには、すでにあるものを真似るのが一番なのです。

「拡散性」が高い人は「型」を嫌いがち

しかし、人の丸パクリや、理屈はいいからとにかくマネをしろ、と言われると、「拡散性」、「保全性」を問わず、たいていの人は抵抗を感じるはずです。特に、経験がない子どものうちは型のありがたみに気がつくのが難しく、「作法や型なんて古くさい」「自分らしさや自由が損なわれるから嫌だ」と型を嫌うことが多いもの。これは「拡散性」の高い人によく見られる傾向でもあります。実は「拡散性」の高い人は、ちょっと子どもっぽいことが多いのですが、診断結果で「拡散性」が高いと出た方、いかがでしょうか。

もとからある
優れたものを
利用する…
そのために調べる

いいか悪いかの
判断は
どうすんのよ

昔からずっと
生き残っているもの…
それは優れたものに
違いない…
そう信じて
あとは何の
疑いも持たない

なに
それ…

それをもとに
型を作り
できた型に課題を
次々とあてはめて
処理していく…
そして数をこなして
いくうちに
自分に合ったやり方…
オリジナルへと
進化させていく

こうやって…
〝自分流のルール〟を
作っていくんだ

それなのにお前らは
自分自身の頭で
考えるといって
何の型もないところから
スタートしようとする
だから全然
先に進まずに
時間だけ無駄に
喰って いつまでも
形が見えてこない
……結局のところ

自分で考えてる…
ということは
何も考えてない…
ということなんだよ

まったく…頭にくるわ人を無能なバカみたいに…
バカとは言ってない早い話…
効率よく要領よくやれと言ってるだけだ

つまり…教師も生徒も効率とか要領とかそんなことばっかり言ってる学校にしたいわけ…

そうだ

イヤなら
担任を降りろ…
やる気のないいものには
任せられない

やるわよ…
やって
やるわよ！

見てなさい！
文句つけようのない
完璧な指導方針作って
そのヒゲヅラに
叩きつけてやるわ！
意気込みはいいから
早くするんだな
モォ～！
ムカツく～！

『ドラゴン桜』12巻108限目

……と、桜木に噛みついた英語教師は撃沈してしまいましたが、「拡散性」の高いあなたは、「型」にハマろう！　と納得できていますか？

「拡散性」の高い人は、「自ら飛び出す」ことで問題を解決しようとする傾向があります。自由に動き回れる環境を好み、人とは違うことをやりたがります。オンリーワンな存在でいたいのです。また、同じことの繰り返しもすぐに飽きてしまいます。このタイプの人にとって、制約こそが何よりもストレッサー（ストレスを引き起こす原因）になります。

基本の「型」にハマる意味

もちろん「拡散性」の高い人に限らず、型を「窮屈だ」と感じるのは無理はありません。誰でも本音では「自分流でやりたいです。型なんて自分に向いていないし、面倒だし……」。そう思っているのではないでしょうか。

しかし「自分には型は向いていない、必要ない」と考えるのはやはり間違いです。

基本の型は、文字通り学びの基礎となるもの。従って、型のない〝無手勝流〟は、自分勝手と同義です。もちろん、無手勝流で成功した人もいるかもしれませんが、成功の確率は限りなく低いでしょう。その人が成功に至るまでには、相当の試行錯誤と苦労があったはずです。

時間の配分を考えていないからだ
分かってるよ！

いちいち……ペースだのテンポだのって人を機械扱うみていに言うな！

そうなることがこの合宿の第一目的だろ

思うように点が取れねえからってイラツいてんじゃねえ
そんなんじゃねえもう少し人間的に接してくれってんだ！

あんまりカタにはめるみてえなこと連発されると頭にくるんだよ！

『ドラゴン桜』2巻12限目

自分流を生み出したいなら、まず「型」にはまり、その実践を通してオリジナルなやり方に進化させていく。このほうがずっと効率がいい学び方です。

歌舞伎や武道の世界では、型を身につけていない人のことを「型無し」と呼びます。一方、基本の型を身につけたうえで、そこから飛び出す人を、独創的だとか斬新という意味を込めて「型破り」と呼びます。このように、「型無し」と「型破り」は違うのです。

国語講師の芥山龍三郎は「『学ぶ』ということは『受け入れる』ということです」と述べています。これは「型」を身につけるための態度、心の姿勢、と言い換えてもいいでしょう。まず受け入れ、そして、オリジナルへ進むべきなのです。

もう一つ、芥山が「常識」を深く広く知ってこそ、「非常識」が生み出せる、と説くシーンがあります（『ドラゴン桜』14巻122限目でお読みください）。

「若い人ほど常識を肯定的に捉えてそこから学ぶべきです」

「独創的発想　独創的アイデア　これらは世間の常識を裏切って生まれてくる」

「常識を打ち破るために常識を持たなくてはなりません」

常識を「型」に置き換えれば、型破りになりたい「拡散性」が高い人にとって、とても響く言葉だと思います。誰にでも有効な「型」を受け入れることは、オンリーワンを目指す上でとても有効なのです。

センター国語・現代文
攻略のテクニックも
じっくり説明されると
奥深いのね
独りよがりでなく
客観的になれか…
その通り…
さらにもう一つ
言わせてもらいますね

「学ぶ」ということは
「受け入れる」という
ことです

テクニックも
同じ…

役立つと思ったら
テクニックにしても
まず実践すること

素直な心で
何事もまず
受け入れて
取り組む
この姿勢は
常に
大切なのです

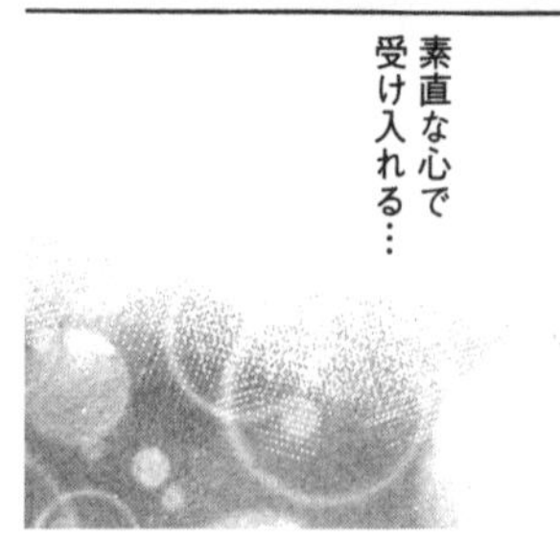
素直な心で
受け入れる…

『ドラゴン桜』14巻122限目

型を欲しがる「保全性」

「拡散性」の高い人を「型は大事だ、基本は重要だ」とさんざん煽ってしまいましたが、対照的に、「保全性」の高い人は、基本的には「型」を学ぶことには従順です。

もしかしたら表面的には「カタにハマれと言われるとムカツク」くらいは（先のシーンの矢島のように）言うかもしれません。ですが、本音では「型を欲しがっている」といってもいい。

なぜなら、「保全性」の高い人は、自分で何かを生み出すより、「今あるもの」を最大限に使って問題を解決しようとする傾向があるからです。66ページの「東大生」の考え方と同じです。要は、自分のエネルギーをなるべく使わずに現状を維持したい。基本的に〝省エネ〟派なのです。

ですから、すでに先人たちの手によって磨き上げられた型を使えるなら、好都合と考えます。また、型を覚えても、「型に縛られる」という感覚は、本当はあまりありません。彼らにとっては、明確な指針のないことがストレッサーとなるので、むしろ型があると安心なのです。矢島はおそらく、保全性のほうが高い（そして、拡散性の一見自由な行動力に憧れを持つ）タイプとみています。

「型」にハマる、ハメるにはどうするか

「完コピ」の価値を知れ！ と言って納得してもらえるならばそれでよし、ですが、例えば子どもや部下に、頭ごなしに言ってもダメな場合もあるでしょう。

しかしスポーツやお稽古事でも分かるように、学びにおいても型の習得に地道な反復練習は欠かせません。

勉強においては、昔から「読み書きそろばん」が基礎能力と言われていました。「そろばん」は今の時代では「算数」と読み替えることができます。漢字を覚え、計算を上達させるのは、すべての学びの基礎になります。これらの基礎能力を身につけるのも、やはり漢字ドリルや計算ドリルなど基礎問題の反復学習が不可欠です。また、仕事の型を作るにも、私の例でも述べたとおり、日々の繰り返し練習（仕事の場合は実践ですが）が必要です。

保全性でも拡散性でも、基本的な型は練習の繰り返しで身につけるしかないのですが、向き不向きは存在します。

反復練習に意欲的に取り組みやすいのは、「保全性」の高い人です。コツコツと積み上げていける個性なので、同じことを繰り返すのは苦になりません。その繰り返しの中で少しずつ、「よりよくしよう」と試みるのがこのタイプの特徴であり、強みなのです。

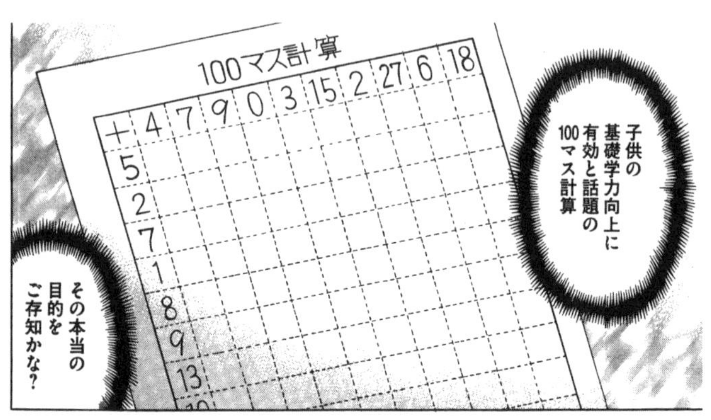
100マス計算
子供の基礎学力向上に有効と話題の100マス計算
その本当の目的をご存知かな?

高原先生…
計算力アップのためでは…

それもあるが本当の目的は集中力の養成なのだ
集中力養成…
そうだ

『ドラゴン桜』13巻118限目

一方、「拡散性」の高い人は、どちらかといえば反復練習が苦手です。飽きっぽいので、「同じことの繰り返し」と思うと興味を失ってしまいます。

「これって何の意味があるの？」

「拡散性」の高い人が反復練習に取り組むには、その練習に「意味」を見出すことが大切です。型や基礎がなければやりたいこともできないし、「型や基礎があるから独創的になれる」。このことを十分に理解すれば、反復練習の先に独創性を発揮するオンリーワンな自分の存在を確信し、反復練習しながら「妄想することがより面白く」なるでしょう。

例えば、桜木がやらせた「計算問題100問を時間内に解く」という地道な「型」づくりですが、これは計算力を高めるだけでなく、集中力を育むトレーニングでもある、とスパルタ数学講師の柳が語っています。

ただ計算をやらされる、と思うとしんどいですが、その結果手に入る能力を説明してもらえば、やる気が出そうです。これはもちろん正しいと私も思いますが、一方で「つまらない反復練習をやる気にさせる、型を身につけさせるために使えるテクニック」だな、とも感じました。こういう手は、教える立場の人はもちろん、自分自身をうまくノセるためにも、ぜひ「完コピ」したいものです。

もう一つ、「拡散性」の高い人が型を身につけるのに向いた方法があります。それは、「師匠に学ぶ」というスタイルです。自由でいたい彼らは、「一人がいい」と思い、制約されることを嫌う傾向があります。しかし、「自ら慕う人のことは絶対」と受け入れる面もあり、尊敬する相手のレベルに近づくためなら、その人の言動を真似ることも、反復練習も厭いません。そういう相手（師匠）を探すとよいでしょう。

私自身、ＦＦＳ理論の師である小林博士以外にも、師匠と思っている人が３人います。ただ、その人に弟子入りするというより、「何かに秀でていて、尊敬できる相手を勝手に師匠と慕う」という行為です。逆説的に言えば、「その人の指導を聞き入れてもいい、と感じた人を師匠と呼ぶ」。そんな感覚かもしれません。

「保全性」は、型にとらわれ過ぎないように注意

「保全性」の高い人は型の習得と相性がいい半面、落とし穴もあります。それは、型にとらわれ過ぎるあまり、「型に当てはまりさえすれば大丈夫」と安心して考えなくなる、思考停止状態に陥る傾向があることです。

前述のとおり、「保全性」はエネルギーの損失を極力せずに効率よく生きていこうとする特性があります。その傾向が顕著に出ると、「楽なほう」を無意識に選んでしまうのです。

つまり、型をベースに考えるよりも、基本パターンをたくさん覚えるほうが楽だと感じて、覚えることに終始します。引き出しは増えますが、「自ら考えることをしないので、本当の意味での応用が利かなくなる」のです。そして、自分の引き出しにはない応用編の出題を見て、「これは覚えていない」と急に不安が襲ってくるのです。

このように、「保全性」の高い人は、本来手段であった型が、守るべき対象として目的化してしまうことがあります。手段の目的化も、「保全性」の高い人が注意したい点です。「保全性」の高い人は、型にとらわれ過ぎてその中に閉じこもらないためにも、「型を磨く」という意識を持つことが重要です。最初は完コピで学んだ型を、さらに精度高く、効率よく磨くことで、あらゆる場面や状況にも対応できる型に仕上げていきます。「拡散性」の高い人は、型を身につけた後は型から離れ、オリジナルを追究する道へと進みます。これについては、次の章で詳しく述べていきます。

まとめ

- すべての学びは「型」から始まる。「完コピ」「常識」を侮るな。
- 反復練習が苦手な「拡散性」は、「意味」を考えよう。
- 型を欲しがる「保全性」は、ハマり過ぎに要注意。

『ドラゴン桜』5巻46限目

第3章

自分の「型」を磨く

それぞれの「型」を発展させる

保全性は「世界の標準化」拡散性は「守破離」を目指せ

「基本の型」を自分のものとして学びの基礎を築いたら、次はそれぞれの個性に合った型を身につけて、学びを深化させていきます。ただし、最初に覚えた型をそのまま使い続けるだけでは、学びは深まっていきません。「型」そのものも発展させていく必要があります。

個性の差で発展の方向も大きく異なります。

『ドラゴン桜』11巻96時限目

「物事を吸収するための手段を磨け」

『ドラゴン桜』の高校入学予定者への説明会で、桜木は保護者に対してこんな話をしています。

「東大が真に求めている学生とは……山ほどの知識を記憶している学生ではなく…色々な物事をその場その場で吸収するための手段を持っている学生です」

桜木は、いずれ忘れてしまう知識をたくさん記憶しておくよりも、「吸収するための手段」を持つことのほうが重要だ、と言っています。

例えば、何かを知りたいと思ったときに、その場その場で色々と調べて情報を集め、理解を深めて、自分なりの意見を持つことができる。それができる学生を東大は求めているのだと。

「からっぽ」の頭のほうがいい？

自分で答えを見つけたり、自分の意見を組み立てたりするために必要な、「調べ方」は、小さい頃から興味のあることを色々と調べていくうちに、次第に洗練されていくものだと桜木は言います。であるなら、そこそこ勉強ができるよりも、何か自分が興味を持てる、自分から調べたくなるものがあって、そして「からっぽ」の頭を持っているほうが、東大が求める学生像に近い……。

私立高校の合同説明会で、まだ東大合格の実績も何もない龍山高校に注目を集めようとして桜木が放った言葉なので、普段にも増してキャッチーに過ぎる気はしないでもないですが（笑）、ロジックとしては通っています。マンガで見てみましょう。

そしてもう一つの例を続けて出します。『ドラゴン桜2』で、桜木が紹介した林 修先生（「今でしょ！」）が、自分の学びの型を培っていった経験を語るシーンです。

買い与えてもらった紙芝居「みにくいあひるの子」を自分で演じながら読んだら、聞き上手の祖父母に褒められて、これをきっかけにたくさんの物語を読破、やがて、歴史に夢中になっていったそうです。

東大にとって理想的な頭はブラックボックス
BLACK BOX
憲法統計学
中国経済の将来
統治行為論
中はからっぽでもそこに情報を通せば変形をさせて自分なりの意見を作り出す手段を持つ頭がいいということです

なるほど…
でもからっぽで吸収できるとは限らないんじゃ？

そうです だから吸収するための手段を身につけるのです

小さい頃から電車が好きで電車について色々と調べる癖のある子がいるとします
JR

『ドラゴン桜』11巻96限目

林 修先生が「型」を作っていった経緯

それで『みにくいアヒルの子』で形作られたと仰ったんですね
よくわかりました

そこから僕は本を読んでものを調べることが日常化しました
特に歴史には夢中になりましたね

小学校に入ってからは大河ドラマ『国盗り物語』の登場人物のエピソードを
学校の図書室から『日本歴史全集』を借りっぱなしにして徹底的に調べました

『ドラゴン桜2』6巻40限目

子どもの頃になにかに夢中になったときの、爆発的な学習意欲をご記憶の方も多いでしょう。自分のお子さんを見て、それを思い出すことも多々あると思います。

つまり、「学び」の正しい経験＝興味のあることに熱中して学習する体験をしたことがある人は、けっこう多いわけです。そして、桜木の主張、林先生、そのどちらも「調べ方がどんどん上手になれば、必要な情報を的確にスピーディに得ることができる」こと、そして「その能力は、他の分野へも展開できる」ことを指摘しています。でも、かなりの人は、自分が手に入れた能力を磨かず、そのうちだんだん熱中も薄れていく。

学びの型の磨き方は個性によって変わる

ですので、学びの「型」は、磨き、深めていかなくてはなりません。

日々の学びの中で、自分の勉強の型をどのように発展させていくかを考えておくことは、とても重要です。そして、この深め方においても、「拡散性」と「保全性」ではその方法が異なります。

ちょっと「学び」そのものから離れて、抽象的な話になりますが、「学び」を効率的に身につける「型」を深めれば、学びが深まるのも早くなります。頑張って付いてきてください。

工夫改善で型を磨いていく「保全性」

「型を磨き上げる」ことが得意なのは、「保全性」の高い人です。「保全性」の高い人は、同じことに繰り返し取り組みながら、工夫改善していくことが得意です。「こうすればもっと良くなる」という発想です。

磨き上げるために大事なのは、「数」です。数をこなし、何度も繰り返すことで、なんとなくコツが掴めてきます。そして、また手を加える。「良くなった感覚」を覚える。そしてまた……、という感じで改善が進んでいくのです。

ただし、型が伝えようとしている「真意」や「本質」を見逃さないことが大切です。つまり、なんのためにその型を使うのか、ということです。前章でもお話ししましたが「保全性」の高い人は、ともすると型の決まり事にとらわれ過ぎて思考停止し、形式だけに終始する「型の形骸化」に陥る恐れがあるので、注意したいところです。たとえば調査ならば、

毎回、同じような調べ漏れが起きていないか?

調べたことをもっとうまくまとめられないのか?

と、「磨く」ことが大事です。調査のそもそもの目的を忘れて、ただただ調べた数を増やそうとするのでは成長がありません。

普段の勉強をテストのリハーサルのつもりで勉強しているか？

リハーサル？
そうだ
いいかね今こうして勉強しているのはなんのためか？

『ドラゴン桜』6巻56限目

数学講師の柳が、「普段の勉強をどんな意識でしているのか」と生徒たちに注意を促すシーンがあります。

この頃の水野と矢島は、科目の基礎学力や勉強の型を身につけるのに必死ですが、柳はさらに、「本番のテストのつもりで自分たちで時間配分する」ことを提案します。型を身につけるだけで満足せず、さらに磨き込んで、型をどんな場所・環境でも使いこなせるようになること。そもそも、数をこなすのはそのためなのです。

目指すは「世界の標準化」

「保全性」が高い人が磨き込む「型」の到達点はどこでしょうか。

「型」が使いやすく、様々な場面に対応できるように工夫されていくと、「普遍性」が生まれます。究極を言えば「誰でも使えて、何にでも応用が利く」。

「保全性」の高い人が、型を発展させて目指すべき頂点は、「世界の標準化」です。

その代表例に挙げられるのが、トヨタの改善活動です。皆さんもご存じのとおり、トヨタの改善活動を示す「KAIZEN」は世界でも通じる言葉になっています。

その立役者と言われるのが、トヨタ自動車工業の副社長を務めた大野耐一です。戦前は、ベテラン工員が戦地に送られても作業が滞りなく進むように、「標準作業表の作成」に取り組み、戦後は、需要に応じた無駄のない生産を行うために豊田喜一郎が提唱した「ジャスト・イン・タイム」の実践をはかり、工程間の在庫を極小化する「かんばん方式」を確立します。「かんばん方式」の極意を短く紹介することはとてもできませんが、大野の弟子、林南八氏（トヨタ自動車元技監）の発言によれば、「常に改善点を見つけ出す仕組みが組み込まれている」のだそうです。

トヨタのＫＡＩＺＥＮこそ、「保全性」の強みを活かして磨き上げられた「型」の究極の成功事例だと思います。

「拡散性」は守破離を目指せ

一方、「拡散性」の高い人は型をどのように発展させていくのでしょうか。

学びの基礎である型を「守るべきもの」と捉えた場合、拡散性は、型を「守」ることから「破」り、「離」れる、へと進んでいきます。いわゆる「守破離」の考え方です。

守破離とは、剣道や茶道などの修業における段階を示したもの。

千利休（１５２２年～１５９１年）の教えを和歌の形式にまとめた「利休道歌」（りきゅうどうか）に収められた一首、「規矩作法 守り尽くして破るとも 離るるとても本を忘るな」に由来しています。

「守」は、師や流派の教え、型、技を忠実に守り、確実に身につける段階のこと。

「破」は、他の師や流派の教えも参考にしながら、良いものを取り入れ、心技を発展させる段階のこと。

「離」は、元々の流派から離れ、独自の新しいものを生み出し確立させる段階です。基本として守るべき「型」を身につけた後、それを破りつつ、さらに離れていくのが守破離です。

2017年、私が東京国立近代美術館で行われた展覧会「茶碗の中の宇宙　樂家一子相伝の芸術」で見た十五代樂吉左衛門の作品は、まさに守破離を体現したものだったと思います。

樂家とは、千利休の「侘茶」を具現化した茶碗の一つとして、初代長次郎が安土桃山時代に制作した「樂焼」を継ぐ家系のことです。450年間、親から子へと営々と受け継がれてきました。

現在、吉左衛門を名乗る十五代目は、東京芸術大学を卒業後、イタリアへの留学経験があります。異国の地で得たインスピレーションを樂焼に活かしたのか、「前衛的」と評された作品には、賞賛と批判が入り混じったと言われています。

この展覧会のキュレーターである松原龍一氏（京都国立近代美術館学芸課長）は、樂家の一子相伝（代を継ぐ一人にだけ伝えること）を「不連続の連続」と表現しています。おそらく、先代の心技を同じように受け継ぐのではなく、「どこまで他から良いものを取り入れ、発展させるのか」の挑戦であり、「守破離」としての継承だったのではないでしょうか。「不連続の連続」とは矛盾をはらむ言葉ですが、前の代がやったことにとらわれず、しかし、そのとらわれなさでちゃんと続いているという、うまい表現だと思います。

捨てることをためらわないから目指せる境地

もうお分かりの通り、「拡散性」の高い人が守破離の考え方と相性がいいのは、「捨てることを躊躇しない」からです。

「ゼロベース発想」とも言い換えられます。同じことの繰り返しに飽きるのが早いので、どんどん別のことに興味が移っていく。「あっ、それ面白そう。やりたい」と思えば、今まで積み上げてきたことは簡単に捨てられます。「保全性」の高い人とは違い、「積み上げていくこと」に興味が湧かないのです。

こう言うと、「保全性」の高い人がなぜ守破離に向かわず、「型を磨き上げるか」も分かりますよね。せっかく積み上げて手に入れたものを「捨てる」ことに対して強い躊躇があるからです。

つい熱中して話してしまいました。『ドラゴン桜』に視点を戻しましょう。

御茶ノ水駅
JR
OCHANOMIZU STATION
それは中学から再スタートできるということと逆転のチャンスがあるということだ
英語ができるというだけで 相当なアドバンテージになる大学入試もそれだけで合格できる場合もある

それは何も特別なことはしなくてもいい教科書をきちっとやりさえすればいい
あとは点さえ取れれば自信がつき得意科目になる

しかし……仮にそこでうまくいかなくてもそこで終わりじゃないやり直す機会はいくらでもあるんだ
高校に入れば教科はもっと細分化されるダメなら新しいものに挑戦すればいい

『ドラゴン桜』3巻29限目

うまくいかない教科は捨てればいい。この桜木の物言いは、まさに「拡散性」の高い人のものです。

「さっさと次に乗り換えりゃいいんだ」

小学校でつまずいた教科は中学でも苦手になりがちですが、高校に入れば科目が分かれて選択肢が増えていきます。その中で興味のある科目を選び直せばよく、やり直す機会はいくらでもある。余談ですが、「拡散性」の高さを感じる桜木のこうした指導やアドバイスに、「保全性」が高い印象を受ける矢島がなかなか納得しないのも、FFS理論の目から見ると「うまくできているなあ」と、勝手に感心してしまいます。

何を捨て、何を残すのか

「拡散性」の高い人は何に気をつけるべきでしょうか。このタイプは基本としての「型」を習得すると、もっと面白くするために、「不要」と思う制約を取り除く、つまり「捨てる」方向に向かうわけですが、その際、「型まですべて捨てる」べきではありません。すべて捨ててしまえば、結果的に型のない「型無し」（第2章）と同じになってしまいます。受験をやめる、合宿をやめる、と、躊躇なく捨て過ぎな『ドラゴン桜2』の早瀬の振るまいを、反面教師としてしっかり頭に刻み込んでください。

東大受験をやめる早瀬

『ドラゴン桜2』2巻11限目

夏合宿をやめる早瀬

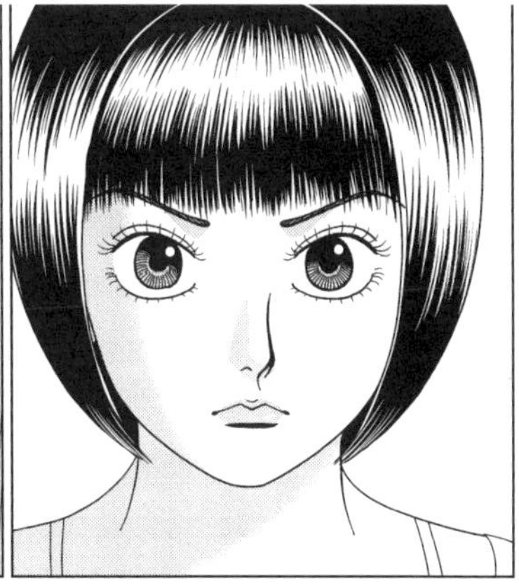

『ドラゴン桜2』7巻52限目

そして、守から破の段階に進むとき、「何を捨て、何を残すか」にその人のオリジナリティが宿るのです。「拡散性」はその漢字が示すとおり、「拡がり散っていく」力のことです。その力が強過ぎると、型を破った途端、戻ってこられなくなります。戻ってくるための求心力は、型が目指す世界観＝型で何を実現しようとしているのか、なのです。「破るとも離るるとても本（もと）を忘るな」の「本」がそこにあると思います。

「保全性」が高い人も、「拡散性」が高い人も、注意すべきは「手段の目的化」です。自分が身につけた「型」が、そもそも何のためのだったのか、折に触れて振り返りましょう。

磨き込んで、あるいは守破離で、自ら作り上げた「型」が、本番で機能して問題を解くことができれば、あなたは一生、自分の「型」を愛し、育て続けることができるようになるでしょう。そんな瞬間を描いたシーンが『ドラゴン桜』にありました。あなたにもこの驚きと喜びが、きっと訪れます。

まとめ

- 「型」は磨き、洗練させ、応用が利くようにできるもの。
- 「拡散性」の高い人は、型を身につけた後、取捨選択して発展させる。
- 「保全性」の高い人は、型を改善し、不備を補い、深めていく。

数列の極限…
図形と式
よし
これからいこう

座標平面上の
2点P・Qが
曲線…

……

これは…
たぶん
グラフが解答の
ポイントだな

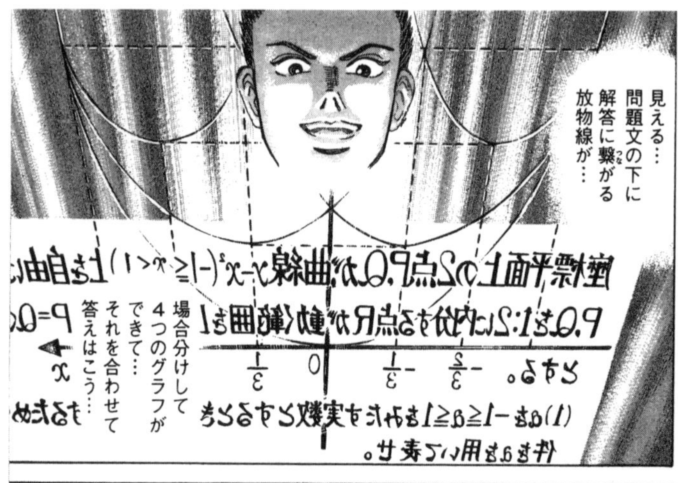

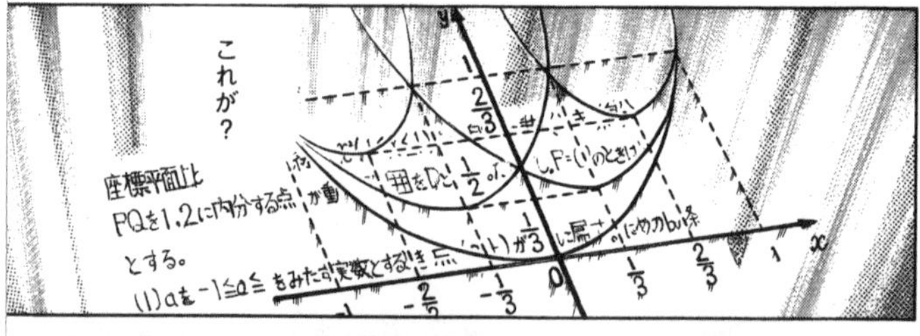

『ドラゴン桜』21巻188限目

第4章

苦手に「型」で向き合う

苦手の克服か、得意を伸ばすか

Five Factors & Stress

科目の「得意」「苦手」は「型」が合っていないだけかも

あなたは小学校低学年の頃、算数と国語ではどちらが得意でしたか？　あえて「得意」か「苦手」に分けてみてください。学校から家に帰って宿題のドリルをするとき、どちらが簡単に取り組めたでしょうか。算数ですか、国語でしょうか。そして、それが好き、苦手になったのはなぜだったのでしょうか。

『ドラゴン桜2』3巻18限目

「苦手」「できなかった」を克服するのは大変……
はじめにここでつまずくと勉強意欲が急激に下がってしまう
受験勉強にスムーズに入るためにはまず得意分野をがっちり固めること
取りこぼさない自信を植え付けること

例えば算数が得意な子は、たいてい先に算数のドリルに取り組み、すぐに終わらせます。一方、苦手な科目は後回しにするのが一般的です。苦手意識から「避けたい」と思い、終えるのに時間もかかるからです。

では、なぜその科目が「得意／苦手だった」のか、考えたことはありますか？

多くの人は、「科目そのものが得意だった／苦手だった」と思っているかもしれませんが、実はそうではありません。子どもの頃に苦手だった科目が、高校生になると得意に変わった、という経験は皆さんにもあるのではないでしょうか。

ＦＦＳ理論を使って考えると、その理由が分かります。ＦＦＳ理論では、勉強の仕方や本の読み方、物事の進め方が本人の個性に合っていれば「得意」になり、逆にそれらが個性に合わなければ「苦手」になると考えます。

算数ひとつとっても、「拡散性」の高い子どもと「保全性」の高い子どもとでは、学び方が異なります。「拡散性」の高い子どもは概念的に学び、「保全性」の高い子どもは体系的に学んでいきます。これは第1章でも説明したとおりです。

概念的な理解が得意な「拡散性」、記憶・積み上げが得意な「保全性」

『ドラゴン桜2』から見てみましょう。まず、「拡散性」の高い早瀬が英語の授業を受けるシーン。配信された講義の内容を、自分が先生役になって説明し、それをビデオに撮る、という企画が、面白いこと大好きな彼女のツボにハマってノリノリです。「突然、英語ができるようになったのか?」と驚かされますが、実は講義の中身を理解しているわけではなく、さも分かったような雰囲気で演じていたことがあとで分かります。

続いて小杉。彼女は「保全性」が高いタイプ。彼女の世界史の教科書がボロボロであることに気がついた水野。同僚が小杉に「この教科書をどれくらい読み返したのか」を聞くと、なんと「7回」という答えが返ってきました。

イメージを掴むのが得意な「拡散性」

『ドラゴン桜2』3巻19限目

『ドラゴン桜2』5巻38限目

雰囲気、イメージでつかもうとする拡散性と、積み上げを重視する保全性。

国語の本の読み方はどうでしょうか。「拡散性」の高い子どもは、興味のあるところは何度も読み、逆に興味のないところは見向きもしないなど、読み方にムラが出ます。「面白そう」と思ったところをつまみ食いして、自分の教材にしていきます。一方、「保全性」の高い子どもは、教科書の初めから順番に読んでいきます。隅々まで網羅する読み方です。算数だから、国語だから、といった「教科」そのものの向き不向きではなく、同じ教科を学ぶ場合でも「攻め方が違う」のです。

先生や親の教え方がたまたま本人に合っていて、「分かりやすい」「これならやれる」と感じられれば、子どもは自信を持って取り組み、実際に簡単にできるようになり、その科目が「得意」になっていきます。反対に、先生や親の教え方が本人に合っていないと、子どもは「分かりにくい」と感じ、「苦手」になる、ということなのです。

また、子どもの頃の「得意／苦手」は、「好き／嫌い」に大きく影響を受けます。つまり、

好きなものは「勉強する」から得意になる

嫌いなものは「遠ざける」から苦手になる

ですから、先生や親の教え方と子どもの個性が合致しているかに加えて、「先生のことが好きか／嫌いか」でも、本人の得意科目や苦手科目が決まってしまうことも多いのです。

あえて科目と因子の関係を論じるなら、「正解があり、記憶すれば点が取れる」科目は、「保全性」の高い人が得意としやすい。また、「暗記しなくても、構造的に考えることで答えが導ける」科目は、「拡散性」の高い人に向いている可能性があります。「算数」や「物理」は拡散性、「国語」や「社会」は保全性に向いた得意科目になりやすいかもしれません。

タイプ別「得意科目に変える」方法

ただし、やはり一番は、性格との相性よりも最初の「科目との出合い方」が影響しているように感じます。

『ドラゴン桜』の2人の高校生、水野と矢島がこれまであまり勉強しなかったのは、興味を刺激される科目との出合いがなかったこともありそうです。この「勉強を好きになる」という大・大前提への対応策もきっちり載っているあたりが、『ドラゴン桜』です。

国語講師として招かれた芥山が、「率直に言って国語の授業は面白いかね?」と2人に質問するシーンがあります。2人の返事は微妙、というか「No」でした(これを2人の国語の担任を務めていた宮村先生の前で聞く、という芥山の手厳しさ)。

泣いてその場を去る宮村にかまわず芥山が言います。「現代文は名作の鑑賞会になりがち。教師が作品の〝感動ポイント〟を押し付ける授業が面白いはずはない」。

このために国語は
品行方正
清廉潔白
お行儀よく
堅苦しいイメージが
定着し　生徒達は
退屈でつまらないと
いう……

国語の魔法に
かかって
しまうのだ

それは宮村先生の
ような　真面目な方も
同じくかかっている
清く正しく美しく……

心の奥では
疑問を感じながらもね

たしかに
そのようだな……
宮村先生

ではどうやって
生徒達を
その魔法から
目覚めさせるか

単純だがまず
国語の教材に
興味を持たせる
こと

それには
愛情　正義　善意
良心といったものの
反対のものを
読ませればよい

生徒の心に
少し毒を
染み込ませる

毒？

人間の
善の心の裏側
つまり悪の部分
怒り　憎しみ
裏切り
コンプレックス
エゴイズム……

それによって
心の中に
湧き上がる
葛藤
こういう感情に
人間は真に
面白いと
心躍らせるのだ

なんか
ワクワク
する
でも……
そんなもの
何を読めば……
ここに
教材を
用意した
文豪の名著
20作品
この中から刺激的な
部分を選んで
まとめたものだ

『ドラゴン桜』5巻41限目

もっと「読んでドキドキする体験」が必要。それには私も同感です。余談ですが私の場合、『源氏物語』の「雨夜の品定め」を読んでドキドキしつつ、「なんだ、現代人と同じじゃないか」と興味を持ちました。それで源氏にはまり、国語が大好きになったのです。橋本治の現代語訳『窯変源氏物語』が一番面白かったです。

このほかにも『ドラゴン桜』には、「嫌い／苦手」を「好き／得意」に変えるヒントがたくさん出てきます。タイプ別に『ドラゴン桜』の中から学べそうな、「好き／得意」化の方法を探してみるのも面白そうです。ちょっとだけご紹介しましょう。

苦手ポイントを掴んで回避策を

暗記せねばならない言葉が頻出する科目といえば、歴史、生物でしょうか。

どちらも「暗記のための暗記」と思うと、ただでさえ飽きっぽくて興味がすぐ変わる「拡散性」が高い人は簡単に「嫌い／苦手」になってしまいます。

そこで、どちらの科目も「全体の流れがあり、そこに納得できる仮説がある」「それを知るために、細かいパーツ（の名前）がある」と、「なぜなんだ」「知りたい！」と思える面白そうなエサを先に置くのです。もちろん「あのヤロー、ムカツク」で、歴史に感情を引っかけたりするのもいいですね。

つい勉強の話ばかりしてしまいましたが、これは仕事でも同じこと。

例えば、経理や総務など、変化が少なく手続きや反復が多い仕事にやる気を見せない「拡散性」が高い部下がいるようならば、仕事の細かいプロセスを暗記させる前にやるべきことがあります。

「この業務がどうして会社にとって必要なのか」から始めて、「ここで正確に作業することにどういう意味があるのか」「プロセスがなぜこんなに細かくなっているのか」とつなげていくと、案外素直にやる気を見せたりします。「プロセスに無駄があります！」と、改革案を持ってくるかも。ありがた迷惑かもしれませんが……。

一方、「保全性」の高い人は急ぎの仕事だ、と急かされるのが大の苦手。「質問されて、答えられないのが嫌」という理由から、周辺に関することも、抜け漏れなく調べ尽くして、隙間なく埋めていこうとします。上司としては「あんなに早く取りかかったのに、まだ仕上げてこない」とイライラするかもしれませんが、それだけの準備をしてプレゼンや会議に臨むからこそ、質問が来ても難なく回答することができ、周囲の評価も高くなるのです。「抜け漏れなく調べること」は得意なので、ますます「得意」が磨かれるのです。

上司は「仕事が遅い」と見るのではなく、「丁寧な仕事をする」ことを評価し、発注を早めにするなど、さりげなくフォローしてあげれば、順調に育つことでしょう。

生徒は大きな流れを
つかめばいい
例えば世界史のフランス革命
ややこしい名前などに
こだわったら
勉強がつらくなる
どうしてフランス革命は
起きたのか
フランス革命が起きたことで
社会はどう変わり
他の国へはどのような影響を
与えたのかを学ぶ

その際
名前などを覚えられたら
覚えればいい
無理をする必要はない
その代わり　出来事の
流れは必ず覚える
そして夏休みぐらいから
秋にかけて集中して細かいことを
覚える　細かいことはギリギリで
いいやぐらいの気分が大切
この勉強法は　基礎を大切にして
細かい知識をそこまで必要としない
東大では十分通用する

『ドラゴン桜』4巻39限目

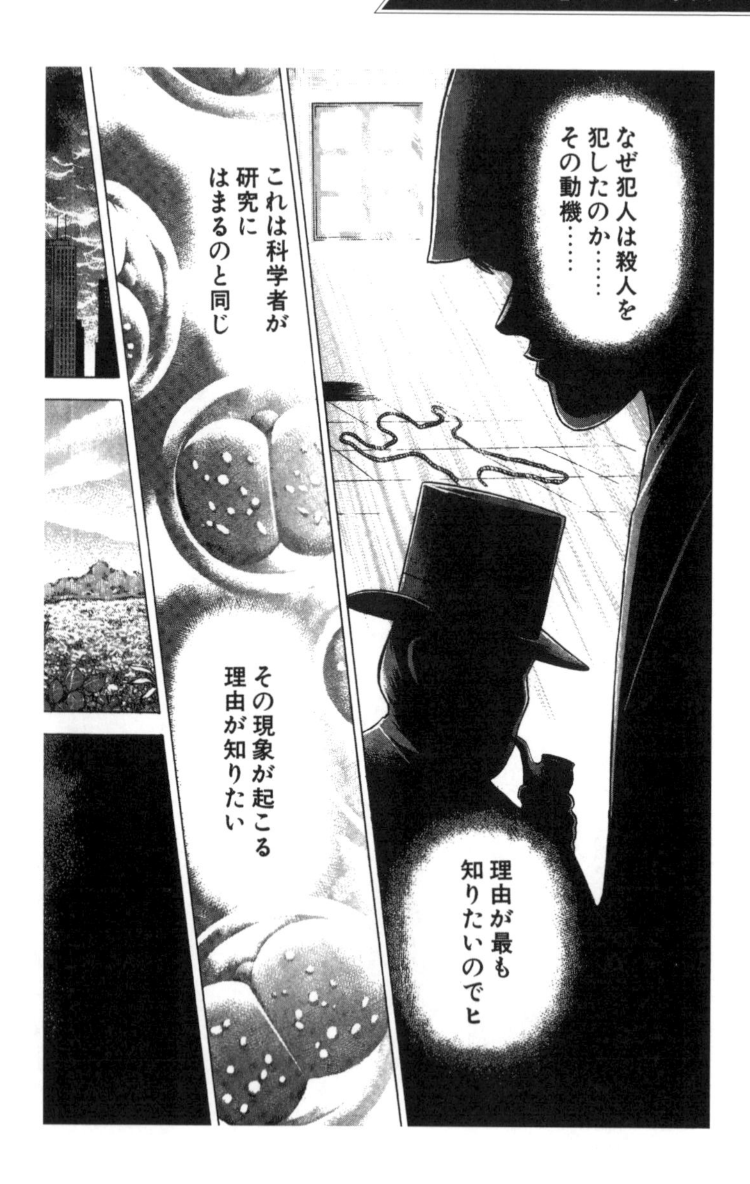
なぜ犯人は殺人を
犯したのか……
その動機……
理由が最も
知りたいのでヒ
これは科学者が
研究に
はまるのと同じ
その現象が起こる
理由が知りたい

『ドラゴン桜』7巻61限目

［「得意」と「苦手」はスタート地点が異なる］

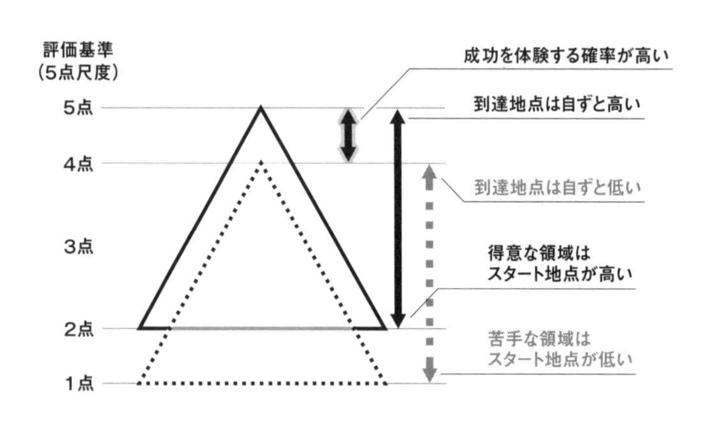

苦手領域はどれだけ頑張っても「5」にはならない

さて、誤解してはいけないのですが、『ドラゴン桜』は苦手意識を変える方法をいくつも紹介しつつも「苦手科目をなくせ」とは言っていないのです。

さらに「得意と苦手があった場合、どちらを強化するのがよいのでしょうか」という問いへの回答も明快です。『ドラゴン桜2』で、今度は自分が東大受験生をサポートする立場になった水野は、後輩の高校生（早瀬と天野）にこうアドバイスします。「得意でできなかったこと」と「苦手でできなかったこと」があるなら、「苦手でできなかったこと」の克服は後回しでいい、と。

この水野のアドバイスは、FFS理論の観点から見ても理に適っています。

右の図をご覧ください。「得意」と「苦手」の能力発揮を5段階で表現した図です。重なり合う2つの三角形のうち、上のほうに位置するのが「得意な領域」を示しており、下のほうに位置するのが「苦手な領域」を示しています。

得意な領域は、自然にできるか、少し体験すればできるようになります。そもそものスタートラインが高くなり、「2」の位置になります。また、勉強や訓練、学びによって「5」に到達することが可能です。しかも、「5」に到達するために費やす時間は短くてすみます。

一方、苦手な領域は、そもそものスタートラインが「1」と低くなり、また、どんなに頑張っても「4」にしか届きません。能力的にも「得意」には及ばないから、「苦手」と言うのです。しかも、その4階段を登るために費やす時間は、「得意な領域で4段階登る時間」よりも長くかかります。

このような図で説明されると、苦手な領域で頑張っても、ずば抜けてできるようになるのは難しいことが理解できると思います。それなのに、日本の教育現場や職場では「苦手の克服」が叫ばれています。なぜでしょうか。

おそらく、全体的に弱みのない「平均的な優秀さ」に価値を置く傾向があるからでしょう。つまり、「平均点発想」なのです。

ではこの分析結果をもとにどうやって成績アップを図るか

具体的に「得意」「できた」の欄にいかに項目を集められるか
できた
できなかった
得意
分詞
文型
関係詞
冠詞
比較
読解
前置詞
単語
語法
分詞構文
発音・アクセント

ここで重要なことは各欄に取り組む順番
得意 できた
得意 できなかった
苦手 できた
苦手 できなかった
ここを間違えると後の受験勉強に支障をきたす原因になる

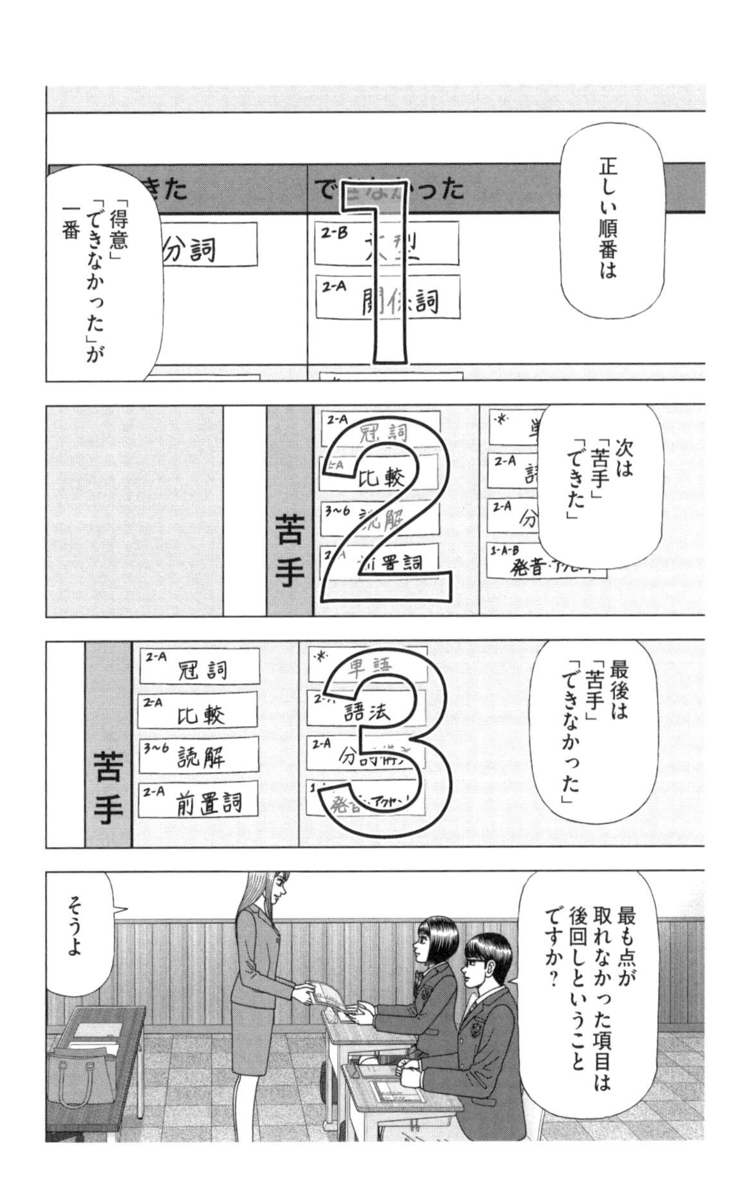
正しい順番は
「得意」「できなかった」が一番
できなかった
分詞
関係詞
次は「苦手」「できた」
苦手
2-A
比較
3~6
前置詞
1-A-B
最後は「苦手」「できなかった」
苦手
2-A 冠詞
2-A 比較
3~6 読解
2-A 前置詞
語法
最も点が取れなかった項目は後回しということですか？
そうよ

「苦手」「できなかった」を克服するのは大変……
はじめにここでつまずくと勉強意欲が急激に下がってしまう

受験勉強にスムーズに入るためにはまず得意分野をがっちり固めること
取りこぼさない自信を植え付けること

「得意」「できなかった」で点数が取れない理由は単純明快
ミスをしてしまったから

『ドラゴン桜2』3巻18限目

平均を求めることに意味はあるのか

日本社会の平均点への〝信仰〟は根強いものがありますが、そもそも「平均」にはどれだけの意味があるのでしょうか。

『ハーバードの個性学入門　平均思考は捨てなさい』（トッド・ローズ著　ハヤカワ・ノンフィクション文庫）で、平均に関する興味深い考察が紹介されていました。それによると、昔から平均や理想像がもてはやされてきたものの、具体的に調査してみると「該当者なし」という結果だったのです。どういうことか説明しましょう。

アメリカ空軍で、パイロットとコックピットのサイズが合っていないことが原因の事故が起きました。とはいえ、コックピットはパイロットの身体データの平均値に基づいて設計されています。そこで４０６３人のパイロットを集めて、全項目を再検証することにしました。例えば、データから割り出された平均身長が１７５センチとすると、１７０センチから１８０センチの範囲内であれば、「平均的なパイロット」と見なします。そうやってコックピットの設計に必要な10項目の身体データの平均値を出し、４０６３人に当てはめたところ、「平均的なパイロット」は一人も存在しなかったのです。

平均とはそもそも幻想であることが実感として伝わる話だと思います。

親としては、子どもの成績表（5段階評価）に「1」があると、「せめて『3』くらい取れるように頑張ってほしい」と思って、苦手教科対策に力を入れたくなるかもしれません。でも、先ほども述べたように、苦手教科を伸ばすのは労力も時間もかかります。

私の知り合いは子どもに「『1』だったの？　よかったね。苦手なことが分かって。苦手な教科は捨てちゃっていいんだよ。大人になったら、そんなことは関係なくなるからね」と言って、子どもの「得意」を伸ばしていました。

全方位的に頑張って平均点を目指すよりも、自分の「得意」をうまく活かすほうが、ゴールに効率よく到達できるのは勉強も仕事も同じです。『ドラゴン桜』で桜木もこう言っています。「東大受験ではすべての教科で完璧を目指す必要はなく、センター試験では7割、2次試験では6割取ればいい」。では、何で点数を稼ぐかといえば、自分が伸ばせそうな科目で戦略的に勝負する。東大受験も仕事も、「得意を伸ばす」ことが成功への近道です。

まとめ

- 「不得意」は自分の個性に合ったアプローチで解消できることがある。
- 拡散性は「全体」、保全性は「漏れなく」を意識しよう。
- 得意を伸ばす方に集中するほうが効率がいい。平均点神話を捨てよう。

ここで点差をつけても
なんの足しにもならない
足切り最低点約600
まあ7割5分取れば
クリアできる
東大だからと
いって
完璧に問題を
解かなくても
いいのだ

7割って
簡単に
言うけど……
取れんのかよ
そんな……
センターの対策は
すぐできる　で
これを突破したら

勝負は
二次だ！
しかし　これは
もっと完璧に
取る必要はない

『ドラゴン桜』1巻6限目

第5章

「型」と目標設定

自分に合った「目標」を設定する

Five Factors & Stress

あなたが達成しやすい「目標の立て方」がある

あなたのお子さんは、今、将来の夢をどんなふうに描いていますか？ あるいは、あなたが進学したとき、就職したとき、どれくらい先の未来を見据えて目標を立てていましたか？ 『ドラゴン桜』で桜木は「明確な目標を持て」と何度も言っています。そこに個性の差はあるのでしょうか。

『ドラゴン桜2』1巻3限目

受験でもビジネスでも、何かを「学ぶ」ためには、自分に合った「型」を身につけるのが最も効率的。そして、型は繰り返しでしか身につかない。繰り返しの辛さや単調さを救ってくれるのが、「目標」です。

目標とは「これはやるべき価値がある」「これを達成すれば××に手が届く」という〝ニンジン〟であり、また「自分は努力してきた」ことを、達成度で確認して「やり続けて間違いない」と自信を持つためのツールでもあります。

さて、かくも重要な「目標」ですが、「とりあえずこの大学、この会社に入ってから将来のことを考えよう」とまずは数年先の目標を設定する人もいれば、「人生でこれを成し遂げたい。そのためにこの大学、この会社に入ろう」というように、将来の夢を具体的に描いている人もいます。

よく「目標から逆算して行動に落とし込むことが成功の秘訣」と言われますよね。自己啓発本や自己啓発セミナーでも、人生の夢を持ち、それに向かって行動することの大切さが強調されています。

しかし、これもFFS理論で考えれば、「個性が違えば目標の立て方も異なる」となります。将来の夢をすぐに見つけて動き出せる個性もあれば、そうでない個性もある。いい悪いではありません。単純に向き不向きの問題です。大切なのは、自分に合った目標の立て方を知ることです。
自分のタイプに合わせた「目標設定」をして、勉強を効率的にこなせる「型」を手に入れましょう。

目標設定に苦労しない「拡散性」

我々が行うワークショップでは、自分自身の棚卸しのために、「やりたいこと／手に入れたいこと」を20個、自由に書いてもらいます。すると興味深いことに、次々と書いて記入欄が足りなくなる人と、なかなか書き始められない人に分かれます。
次々と書けるのは、「拡散性」の高い人です。好きなことや興味のあることにはすぐに飛びつく性質からも分かるように、やりたいこと、手に入れたいことが明確です。ですから、ワークショップでも次々と欄を埋めていくことができるのです。
言ってみれば「目標設定に苦労しない」タイプなのです。
「拡散性」の高い人は、基本的に「面白いことをしたい」と思っています。「世の中にまだないモノを作りたい」「誰も見向きもしないニッチな領域に挑戦したい」「世間から『終わった』と思われているものを復活させたい」など、他人とは違うこと、自分にしかできないことをやりたがります。最初は個人的な興味・関心から動き始めますが、次第に社会課題の解決に興味が移っていきます。解決の難しそうな社会課題ほど闘志を燃やし、社会課題に苦しむ人たちを救う場面を想像したりしてワクワクします。そのため、かなり大きな夢を平然と語り、周囲を驚かせますが、「大きなことをやりたい」というより、あくまで「（自分が）面白いことをしたい」のです。

できるかどうかはあまり気にしない

だから、実現するのにどれくらいお金や時間がかかるのか、具体的には考えていません。あまり計画も立てません。やりたいことを手当たり次第に試していきます。その奔放さに「やりたいことがコロコロ変わる」「気まぐれだ」と眉をひそめる人がいても、本人は「一回やってみないと、『本気でやりたいこと』かどうか分からないじゃないですか」とケロリ。

彼らは様々な体験をする中で、興味や関心が深まるモノを探しているのです。「常に探求者」で、良くも悪くも無責任です。また、探求者であり続けるために、「常に自由でありたい」と思っています。何事にも自由であることが、人生においてとても重要なことなのです。

『ドラゴン桜』で探すと、誰あろう桜木その人が、このタイプの「目標」の作り方そのものを体現してくれていました。

全国初……
もしやりとげたら
俺が先駆者

ひとつ……
誇れる実績が
作れる
そして……
これを金看板に
のし上がれる
かも
山手

そうだよ！
今のままじゃ
浮かばれねえ
何か一発ぶち上げ
なきゃ

だが　まてよ
清算だけじゃ
インパクト弱いな
しかも管財人に
引き継げば
俺の役目は終わる

『ドラゴン桜』 1巻1限目

記念すべき『ドラゴン桜』第1話に登場した桜木は、弁護士になったはいいものの、来月の家賃すら危ないほど追い込まれていました。先輩から学校法人（これが龍山高校）の清算案件を回してもらうことになり「こういう案件は全国初だ」と励ましてもらいます。

なんとか危機を脱出してほっとするところですが、桜木は「俺が先駆者」とにんまりしつつも、「清算で終わったのではインパクトが弱い、何か……もっとデカいこと！」と妄想を膨らませました。そして「悪い人の顔」で「あった…」とホームでつぶやきます。この後桜木は「これで俺も新橋、いや虎ノ門に事務所を！」と一人盛り上がるのでした。

桜木がこのとき思いついた目標は、民事再生法による龍山高校の再生、そのために今年度に東大合格者を出し、5年後には100人に、という大変なもの。これを実現させるべく、水野と矢島が巻き込まれていくわけです。

夢は持つけど飽きっぽい

夢や目標を持つこと自体には苦労がない「拡散性」が高いタイプが注意する点は大きく2つ。1つは、目標設定が容易いことの裏返しとしての飽きっぽさ、移り気です。

これを抑えることは難しい、というかほとんど無理なのですが、目標を動かさない我慢も時には必要です。何かいい手はないか、桜木本人に聞いてみましょう。

矢島……
お前が親になって
子供にグローブを
買ってあげるとする
俺が親？
それで……

店にはグローブが
三つ
3千円　6千円　1万円
SALE!!
¥3,000-
子供はこれから
野球を始めるところ
お前ならどれを
買ってやる？

これから
始めるんだろ……
だったら3千円ので
十分じゃん……

それだと子供は
野球がうまく
ならないな
え……
どうして?
お前のグローブの選び方は
現状に合わせて
今の行動を決めた
ものだからだ
それでは
よい成果は得られない

目標がすでに
実現しているかのように
行動することで
目標を真に達成できるのだ
目標が実現しているかのように……ということは例えば子供が甲子園とかでプレーしているものとして……
そうだ
子供がうまくなりたいと思っていて親もそれを応援しているなら互いに目標が実現していることを前提に行動するのだ

『ドラゴン桜』7巻68限目

拡散性は基本的に「移り気」ですが、興味が続く間は夢中になります。それには本気で「惚れる」ことです。目標を実現しているシーンを思い描くことで〝ワクワクする〟ことです。桜木は、野球を始める子どもには最初からいいグローブを買い与えたり、球場で一流のプレーを見せるのがいい、と言います。始める前から「夢が実現したかのような」イメージを持たせ、目線を高く持たせれば、子どもはそれに見合うように努力する。これは「拡散性」の高い子どもをやる気にさせ、目標に向かわせるためにうってつけの方法です。

もう一つは、「誰も取り組まない」テーマを選び、公言することでしょう。「オンリーワンである」ことは、拡散性にとってなによりの動機付けになります。自分自身の興味を持続させる際も、これを応用してみてください。

さてその肝心の「興味」ですが、自分の興味の範囲は意外に狭いもの。日頃から社会や世の中との距離を縮めておかないと、対象が「自分の趣味」の延長に限られてしまいます。社会課題へのワクワク感が醸成されないのです。

「拡散性」の高いお子さんをお持ちの親御さんは、若い頃から実社会に触れる体験をするように促しましょう。多感な時期（特に中学生から高校生にかけて）は遊びきることです。

そのうちに、「自由である」ことも飽きて、むしろ「制約」が欲しくなるのです。制約を超えることが新たな動機、目標になったらしめたものです。

身近なことに関心が向き、できることを増やしたい「保全性」

一方、「やりたいこと」をなかなか書き始められないのが、「保全性」の高い人です。記入欄を埋めようとするものの、「やりたいことが思いつかない」と困惑する人が少なくありません。もちろん、「やりたいこと」を考えますが、「正解がない」未来のことを考えようとすると、思考停止に陥ります。しかも、先が見えないことは彼らにとってストレッサーですから、遠い先のことほど考える気力が湧かないのです。

「保全性」の高い人は、周りからどう思われるかも気になります。彼らは、「できない」と思われるのが嫌なのです。かといって、「ずば抜けてすごい」と思われて目立ち過ぎるのも避けたい。集団の中では、平均より少し上くらいが居心地よくいられるのです。

その結果、「やりたいこと」が身近で無難なところに落ち着きます。社会人でよくあるのは、「休みが欲しい」「家族旅行に行きたい」「英語検定で何点取りたい」「住宅ローンを完済したい」といった日常的な内容です。「同世代の中で抜きん出ることなく、後れも取らない」くらいのレベルで、「周囲から程々に『幸せ』と思われる」くらいの夢が丁度いいのです。「保全性」の高い人は、「やりたいこと」を考えてワクワクするより、周りから「できない」と思われたくないので、「何でもできる人間になりたい」と考える傾向があります。「皆ができることは、自分もできるようになろう」とするからです。何でもできるようになれば、周りからも認められ、安心できます。「できないこと」があると、その習得のために準備して、計画を立てて、取り組みます。その結果、いろんなことができるようになりますが、かといって、それらは特にやりたいことではありません。

できることを積み上げた先に、夢が見つかる

では、特にやりたいことがあるわけでもなく、夢を持ちにくい「保全性」の高い人は、目標設定も程々になり、凡庸な人生を歩むしかないのでしょうか。もちろんそんなことはありません！「保全性」の特性を活かした目標の立て方を学べば、遠い未来を見通すことは苦手でも、夢のある人生を切り拓いていくことができます。

「保全性」の高い人が採るべきは、身近なところから目標を立て、「できること」を徹底的に積み上げていくことです。やりたいことを探すよりも、「できることを増やす」ことのほうが取り組みやすいはずです。できることを増やして視野を広げ、視座を高めていけば、できそうなことの延長線上に「やってみたいこと（夢）」が見つかります。

これは『ドラゴン桜』シリーズ全体を貫く「東大へ行け！」という熱い叫びと真っ直ぐつながっています。

東大に行くのに理由なんかいらない！
東大に行く意味なんてない！

『ドラゴン桜2』1巻3限目

やりたいことがなければ、とりあえずテッペンを目指せ

桜木は、偏差値30の高校生だった水野と矢島に、そしてその10年後、「そこそこの受験校」になりつつある龍山高校の生徒たちに対して「意味なんかなくていい、東大を目指すのだ」とアドバイス、いや、ほとんど押しつけます。

生徒たちに、桜木が東大を勧める理由はただ一つ。東大に入れば、「日本一の大学に入った」という人生のプラチナチケットを手に入れることができるからです。「将来の夢なんて今は考えなくていい。とりあえず東大に入れ」。これが桜木の主張です。

これは、特にやりたいことの見つからない「保全性」の高い人に、ぴったりのアドバイスなのです。なぜでしょうか。

山に例えると、東大は「日本の最高峰」です。「保全性」の高い人は、そもそも「どの山に登りたいのか」、「そこで何をしたいのか」が自分でもなかなか掴めません。

これは、掴めないからいい、悪い、という話ではありません。悪い話になるとしたら、分からないから「山を登るのをやめる」と考えてしまうことです。

そうではなく、分からないのなら「一番高い山を目指せ」。

それが、「保全性」の高い人の採るべき選択肢というわけです。

し…知らないって
どういう意味だよ！
責任取れよ！

責任だ？ふざけたことぬかすな

なんで将来の面倒見る必要があるんだ甘ったれんじゃねえ
大きな関門通してやるんだあとはてめえでなんとかしろ

いいか！学校ってのはな言うなりゃキップ売場だ
目的地までのキップは用意してあるそれを決めて買って乗るのはお前らだ

だがな
俺が売ってるのは
そこらのキップとはちがう
東大行きという超極上の
プラチナチケットだ
東大行
これを買えば
旅の初めは大変だが
あとには見事な絶景と
快適な列車が
待っている
問題は
買うか買わないか
答えは買うに
決まってる

『ドラゴン桜』1巻6限目

一番高い山に登れば、そこには絶景が広がっていて、地上からよりもずっと遠くまで見渡すことができます。見通しが効くことで、次にやりたいことが自ずと見つかります。また、一番高い山に登ることができれば、相応の実力と自信がついているはずです。「次は世界の山を目指そう」と、より大きな目標につながるかもしれません。

このように考えると、やりたいことを見つけるためにも、また、やりたいことが見つかったときに、それを実現できる可能性を広げるためにも、「日本の最高峰に登る」という選択は合理的なのです。大学受験ならば、それが東大、というわけ。

もちろん、これは桜木の（下心満点の）手厚いサポートがあってこそです。保全性が高いなら誰も彼も東大、日本一を目指すべき、とはさすがに私も思いません。

ただ、この目標設定は絶妙です。東大に入れば、これは間違いなく周りから一目置かれます。「周囲から『幸せ』と思われている状態」になれることで、「保全性」の高い人は安心できるのです。2人がやる気になったとしても無理はない、と思えます。

それでは、桜木がいない（普通はいませんね）「保全性」の高い人はどう目標設定するべきでしょうか。

ちょっと逆説的ですが「自分の登りたい山」が見つからないなら、あえて探さない。

その代わり、自分の「できること」を積み上げれば登れそうな山を見つけて、その山を登り切ってみましょう。低い山でも頂上に立てば視野が広がり、視座が高まり、より遠くの未来を見通せるようになります。そうやって自信を付けて、山頂から見えた次の山を登るのです。小さな勝利、登頂を積み重ねていった先に、ふっと富士山の姿が見える頃には、誰に背中を押されずとも「あそこに登ってみたい」と思えるかもしれません。

「意志がない」ように見える子どもや部下への接し方

「目標」について、自分のお子さん、あるいは部下と話す際のヒントについても触れておきましょう。

親、あるいは上司が目標をオーソライズしないことには、子どもや部下がいくら本気になっても話が進みません。さて、どういうふうに話すべきでしょうか。

ここまでお読みいただければ、「拡散性」と「保全性」では夢の持ち方や目標の立て方に、大きな違いがあることはお分かりと思います。個性が違う相手のことは理解しにくく、違う個性に自分のやり方を押し付ければ軋轢が生じることも想像できますよね。それを避けるためにも、異質の相手の思考・行動パターンを知っておく必要があります。

「拡散性」の高い親や上司から「保全性」の高い子どもや部下を見ると、「自分の意志がない」ように感じることが多いのです。

例えば、ホンダやリクルートには、部下が上司に相談すると、逆に上司から「お前は何をしたいんだ」と質問される文化がありました。こう質問されて、自分のしたいことを答えられるのは「拡散性」の高い部下です。しかし、「保全性」の高い部下は返事に窮したと想像できます。「保全性」の高い人は、自分のやりたいことはさておき、「仕事を滞りなく完成させて、評価されたい」と考えがちだからです。

「保全性」の高いお子さんで、例えば「先生になりたい」と目標を定め、こつこつ努力を重ねて受験に備えている、という例も少なくありません。一方で「この大学に行きたい」「将来はこれをしたい」という夢が明確にあるわけではなく、親の期待をできるだけ叶えて、お互いに負荷を掛けずに「合格したい」と思っていることもまた多いようです。

自我がまだ確立していない、小さい子どもは特にそうです（ちなみにですが、自分で回答する場合、ＦＦＳ理論は大学生からを対象にしています）。桜木は「子どもが勉強する理由は、親が喜ぶから」と言っていますが、これはかなりの真理だと思います。

にもかかわらず、「拡散性」の高い親や上司は、「やりたいことを言えないのは、自己が確立していない。なさけない」と批判的に見てしまいがちです。どうかすると「先生なんて身近な目標じゃなくて、もっとでっかい夢を持て！」と、超おせっかいを焼いたり……。

では、「保全性」の高い子どもや部下にはどう接するのがいいのでしょうか。

勉強をする…
テストでいい点を取る…
親が喜ぶ…
次も親の喜ぶ顔が
見たくてさらに勉強する
どんどん成績が上がる…
勉強ができる子は
このサイクルがうまく
回っているだけなのです

その証拠に
親がまったく
喜ばなかったりすると
その子は勉強する気を
失ってしまいます
つまり子どもは
夢や将来ではなく
親を見て勉強しているのです
小さい子どもにとっては
親がすべてといっても
いいでしょう

『ドラゴン桜』17巻154限目

「保全性」の高い相手には、「自分の目標は自分で持て！」とダメ出しするのではなく、本人がハラを決めるのを待つ。その様子がなければ、「レールを引いてあげる」くらい過保護でもいいと思います。もちろん、いつか自立させるために「突き放すタイミング」は重要ですが、まず「もう一人で歩ける」という自信をつけさせることが大切です。

部下育成も同様です。本人に自信がつくまでは、道筋を示したりアドバイスしたりして、伴走してあげましょう。本人にできることが増え、周囲から仕事を頼まれるようになると、自信になります。「抜け漏れなく準備してよかった」と自己肯定感にもつながります。そして、さらに先回りして仕事に取り組むようになり、周りから感謝されると、もっと役に立ちたいと思う……。そうした内発的な動機が自走につながっていきます。

親が子どもの夢を潰してしまわないために

一方、「保全性」の高い親や上司には、「拡散性」の高い子どもや部下の言うことは、「大き過ぎる夢」や「分不相応な目標」に思えます。つい否定したりすることもあるでしょう。しかし「拡散性」の高い人は、一度思ったことは「やってみないと気が済まない」のです。そのため、否定されたり、あきれられたりすることは、「抑圧された」と感じます。

ただし、本人がやってみて、「ちょっと無茶だったな」とあきらめがつけば、まるで最初から「なかった」かのようにあっさりしたものです。〝チャラにする〟のです。でも、そのうちにまた別の夢を語り出すとは思いますが。
逆に、やってみたら「もっとやりたくなった」と、スイッチが入ることもあり得ます。その程度の〝軽いノリ〟だと思って見守るのが丁度よいのです。
親や上司としては、自分とは異なる子や部下の個性を理解して、「自分の範疇で考えても理解不能」だと割り切り、「やってみたら」と言ってあげられる支援者を目指しましょう。子どもが「何々をやりたい」と言い出したら、「それはすごいね」と〝おだてて〟、相手を得意にさせることです。そして、子どもがそれに挑戦できる環境を用意してあげてください。
拡散性、保全性を問わず、最後の最後は、子どもや部下が自らの内発的な目標（やる気）を持てる目標にたどりつけるか、です。やるだけやったら信じて待ちましょう。龍山高校の再生に挑んだ桜木が、自分の檄に応えて、東大専門コースに応募する生徒が「必ず来る」とどっしり構えていたように、です。

まとめ

- 目標設定も「拡散性」と「保全性」の違いで大きく変わる。
- 「拡散性」の高い人は、次々目標を変えないために「惚れる」工夫を。
- 「保全性」の高い人は、まず目の前の登れそうな山を登り切ってみよう。

あと
3分です
必ず来る

高校生の
……
若い力を
信じろ

わかってる
つもり…

無関心 無気力
甘ったれ 根性なし

早瀬さん

天野くん

『ドラゴン桜2』1巻4限目

第6章

計画を「型」で管理する

「計画倒れ」が発生する理由

Five Factors & Stress

「予定を守れない」が辛いか「予定がある」ことが辛いか

高校生の頃、英単語をどのような方法で覚えていましたか? 例えば、英単語を毎日10個とか、20個とかずつ順番に覚えていき、定期的な単語テストで覚えているかどうかを確認する。そんなふうに毎日コツコツと単語を覚えていった人もいるかもしれません。しかし、この方法には向く人と、向かない人がいます。

『ドラゴン桜』10巻89限目

「目標」が設定できたら、次は、目標に到達するための「計画」が必要です。

千里の道も一歩から。ひたすら前に向けて歩き出す……しかないのですが、それができる人とできない人がいます。本書をここまで読んでくださった皆さんなら、これから私が何を伝えようとしているのか、もうお分かりですね。

毎日のノルマを決めて、それをコツコツと積み重ねていく方法が向いているのは、「保全性」の高い人です。例えば英単語を覚えるなら、毎日50個の単語を覚えて、それを完璧に覚えたことを確認し、次の50個に進む。このように、地道に積み上げていく作業を持続できるのが、このタイプの持ち味です。

ラップタイム重視か、フリーハンドか

一方、「拡散性」の高い人は、毎日同じことをやり続けると飽きてしまいます。開き直って「要は単語帳に触れる回数を多くすればいいんだ」と、ながら作業のようにテレビや動画を見ながらチラチラページをめくる人もいれば、ストーリーがあれば飽きない、とばかりに、英語の小説を読み始める人、音楽でもいいんじゃないか、と洋楽を聴く人、と、いろいろ変わった手を思いつきます。自分の興味とくっつけばなんでもいいのです。

「拡散性」の高い人は、興味が湧くものを、気が向いたときにやりたい。持続力には欠けますが、気分が乗ったときの集中力や瞬発力がこのタイプの武器です。

両者の違いはマラソンで例えると理解しやすいかもしれません。

ラップタイムを重視するのは、「保全性」の高い人です。1キロをどれくらいの速さで走るかを逆算して、同じペース配分で走り切ろうとする。仕事や受験勉強もゴールから逆算して、1カ月、1週間、1日でやることを決め、計画どおりに進めようとします。「拡散性」の高い人は、ゴールを決めたら、あとはフリーハンドです。調子のいい日はガンガン飛ばし、気分が乗らない日は道草を食うことも。

『ドラゴン桜』では、桜木が生徒を「ウサギ派」「カメ派」に分けています。

ウサギと…
カメ?
そうだ
ウサギ派とカメ派が
受験という名の
レースをするのだ

ウサギ派は
精神的な起伏が
あって不安定
長距離を
イーブンペースで
走るのは苦手

でもダッシュする
パワーに優れ
集中力が高まった時の
爆発力を持っている
後半に一気に
追い上げるタイプで
部活を熱心にやっていた
生徒に多い

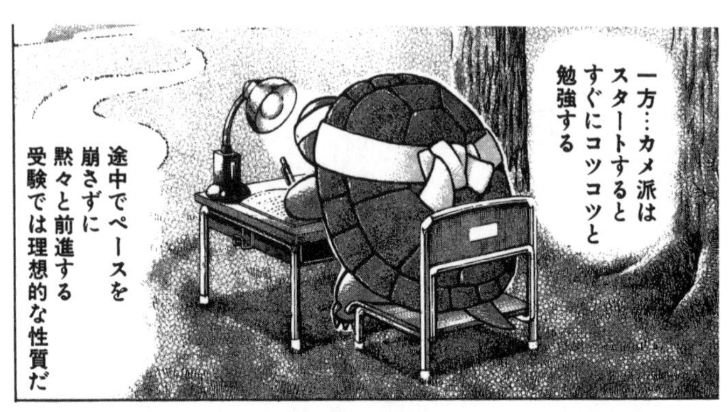
一方…カメ派は
スタートすると
すぐにコツコツと
勉強する
途中でペースを
崩さずに
黙々と前進する
受験では理想的な性質だ

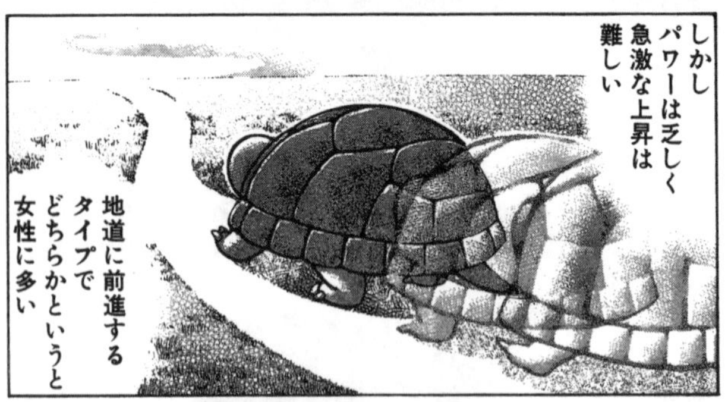
しかし
パワーは乏しく
急激な上昇は
難しい
地道に前進する
タイプで
どちらかというと
女性に多い

ここで
誤解しては
いけないのは
どちらかが有利
不利という
ことはない
どちらでもいいのだ

『ドラゴン桜』10巻89限目

ウサギ派は「拡散性」で、カメ派は「保全性」と理解できますね。

では「保全性」と「拡散性」、それぞれにマッチした計画の立て方について詳しく見ていきましょう。

「保全性」の高い営業マンは契約までのステップが大事

「保全性」の高い人は、「確実に進んでいるのか」「抜け漏れはなかったか」を確認しつつ進めたいので、計画が大事です。計画通りに進めようとします。

勉強の例だけでなく、営業を例に取ってみましょうか。「保全性」の高い営業マンはステップを重視します。

自分が事前に計画した通りに契約を決めることが一番安心なのです。数多くのお客様との進捗を計画しているため、月次の受注計画は「予実通り」に進めることがポイント。もし、どこかで失注したとしても、「同じ轍は踏まない」ように、その原因を分析して別のお客様へ反映します。すぐに取り返しやすいように、失注も織り込んだうえで事前に計画しているのです。

また、お客様へ訪問して渡す資料も、毎回小分けして持参する傾向にあります。説明が少しずつ詳しくなるように設計しているのです。5回目に契約を決めると計画しているなら、説明資料もそれに合わせて準備します。このように、「計画→遂行」を繰り返すことで、確実に成約を広げていくのが「保全性」の高い営業マンの特徴です。

このため、「5回目の訪問で契約を決めよう」と計画していたのに、お客様が3回目の訪問で「今日、契約するよ」と言われても、「それは困ります。まだ3回しか訪問していません。あと2回訪問して説明しますから、5回目の際に契約をいただきたいのです」と答えてしまう……かもしれません。

寄り道が長くなりました。「保全性」の高い人の計画の立て方は、「この時間には何をする」というように、時間と内容をセットで決めるのが特徴です。かなり細かく計画を立て、その通りに遂行します。その結果、計画とのズレが最小になっていることが確認できると嬉しいし、安心します。

それだけに、計画を立てる際には確認が多くなり、時間がかかる傾向があります。「これはこういう意味でいいのか」「この場合はどうするのか」「こういうやり方でいいのか」など、そんなことは自明だろうと思えるレベルでも、「万が一違っていたら、どうしよう」と不安になり、「念には念を」と思って質問します。もちろん、似たケースを経験して慣れてくれれば、そこまで細かな質問はなくなりますが、初めての取り組みでは確認に次ぐ確認になりがちです。

計画にも自由度がないとダメな拡散性

では「拡散性」の高い人はどうかというと、「無計画でざっくり」です。このタイプの人は目的さえ達成すればアプローチはどうでもいいと考えています。なので計画はあってないようなものです。それが大きなプロジェクトであっても、本当に何も準備せず、計画もなしに動くことがあります。ただ、本人に言わせると、「計画はした」「準備もした」と答えるかもしれません。しかし、「保全性」の高い人から見れば、かなり雑なレベルです。

言ってみれば、「この島に宝がある」程度の、〝海賊が持っている宝の地図〟みたいな代物です。何となくのイメージです。逆に、細か過ぎる計画は窮屈に感じて、興味が失せて動けなくなるのです。

このタイプは無理に緻密な計画を立てるよりも「面白そうなことからやる、興味のままにテーマを変える」くらいの自由度があったほうが、むしろ「計画的（〆切に間に合う、結果を出す、という意味で）」に進みます。数学のドリルを何ページずつ、と決めるのではなく、「その日やりたくなった科目を、やれる分だけ」といった感じです。得意科目だけ進むのでは、と思うかもしれませんが、案外本人は続けると飽きてきて、すんなり別の科目に移っていったりします。強制されないことでやる気が持つのです。

ったく…
じゃあ…
とにかく夏は
自習で過ごす
ことはわかった

てことはまず
何をどう勉強
するか
きっちりと
綿密な計画を
立てなきゃね

いや…それは
違う
違う？
なんで？

龍山高校
夏休みの対策
心得その一
夏休みの
学習計画で
時間割を作るな！
NO
え？
時間割
作っちゃ
いけないの？

何かを始めようとする時
綿密なスケジュールを
立てて　それに沿って
行動するのが最善だと
思いがちだが
この固定観念が
そもそも
間違いだ

ええ…
どこが
いけないの？

『ドラゴン桜2』8巻75限目

拡散の営業マンは〝出合いがしら〟で契約を取る

こちらも営業マンの動きで見てみましょう。

「拡散性」の高い営業マンの契約の取り方は、〝出合いがしら〟です。その日たまたま訪問した先で、「相手が興味を持ったかも」と感じた瞬間から、集中力マックスで口説きます。契約を獲得すると余勢を駆って次の訪問先でもまくし立てます。まさに〝狩り〟。

また、「保全性」の高い営業マンとは対照的に、資料は最初から全部渡すか、もしくはまったく持っていきません。トークだけで説得しようとするのも「拡散性」の高い営業マンの特徴です。しかも、大風呂敷を広げる傾向にあり、相手の要望を受けて、資料に書かれていないことまで「できますよ」と安請け合いします。だから、〝制約条件〟にならないためにも、資料は持参しないほうがよかったりするのです。

出合いがしらなので、成約件数には当然ムラがあります。数件の契約が取れる日もあれば、受注できない日も……。でも契約ゼロの日があっても、たいして気にしません。「最終的に月次（年間）の数字が合えばいいんじゃない？」というスタンスなのです。

まとめると、「拡散性」の高い人は基本的に計画を立てません。興味の湧いたときや、気分の乗ったときに自由に動けるように、長めのスパンで目標だけ決めておくやり方です。

「保全性」と「拡散性」では、計画に対する考え方がまったく異なることをご理解いただけたと思います。自分自身がどちらの特性かを知っていれば、細かく計画を立てて緻密に実行すべきか、目標だけを決めて、気分に任せて実行すべきか、判断することができます。
とはいえ、計画を立てても計画どおりに遂行できない「保全性」もいれば、自由に動いているのに成果をあげられない「拡散性」もいます。
それぞれの特性を活かせていない原因は何なのか、考えてみたいと思います。

合ったやり方でもうまくいかない、その理由は

「保全性」の高い人が、自分の立てた計画が守れない一番の原因は、計画の稚拙さです。計画そのものの出来が悪いから、実行できないのです。
よくありがちなのは、「これくらいは進めておきたい」といった希望的観測で計画を立てたり、やることを詰め込み過ぎたりして、現実味のない無茶な計画になってしまうことです。予想外のアクシデントが起きることを織り込んでいないこともあります。
このタイプの場合、計画より遅れること自体も拙いのですが、それよりも「遅れが気になってしまう」ことのほうが実は問題です。焦りが生じ、取り返そうと無理をし過ぎたり、「もうだめだ」と放り投げたりすることも。

となれば解決方法は、計画を立てるスキルを磨き「実行できる計画を立てる」です。本来、計画こそが「保全性」の高い人の一番得意とすることです。自分が「これならやれる」と思える、実現性の高い計画を立てられるように「計画力」を徹底的に鍛えましょう。

そのためには、計画の立て方も体系化することです。計画→遂行を何度か繰り返してみて、自分が計画どおりに進めなかった要因は何か（自分の集中力の持続時間はどのくらいか、科目による違いは、順序を変えるとどうなるか、体調を維持できる睡眠時間、食事のタイミング……漏れなく考えるのはお手の物のはずです）を探り、どのような計画ならズレが生じないかを考え、計画に反映していきます。

また、「保全性」の高い先輩から、学習法や仕事のスケジュール表のフォーマットをもらうも良し。最初は完コピしてもいいと思います。自分の計画の立て方の、意外な穴が見つかるかもしれません。それをベースにして、自分が使い慣れるレベルまで仕上げて繰り返し使うことで、実現性の高い計画立案ができるようになっていくでしょう。

自分が作り上げた計画どおりに学習や仕事を進めることができ、成功経験が生まれると、「保全性」の高い人の学びはめきめき進みます。「ちゃんと計画したから大丈夫だ」と自分の計画を信じることができ、多少の遅れや成果が出るのが遅れても、焦らないで済みます。「急がば回れ」の教訓です。まさにそれを表現したシーンが『ドラゴン桜』に出てきます。

それに二人は現役生だ
今はじっくり力を溜めてる時それがまだ目に見える形に出てないだけ
言うなれば飛行準備を調えやっと滑走路に出てきた飛行機

滑走路の飛行機…

そのプロペラが回り飛行機は走りだし…

全速力で
滑走路を進む…
確かに今は
地上を走っているが
揚力を得ると
機体が浮き上がる
上がる…上がる

そして一気に
急上昇する

上がる…
必ず上がるんだよね

ああ…
厳選された勉強法を
着実にこなしている
上がらないはずない

ただ
今はまだ機体が
地面から離れる
ギリギリ手前を
全速力で走っている

あと少しだ
あとほんの少しで
機体が浮く

『ドラゴン桜』 16巻142限目

「ちゃんとした計画」がもたらす力

知人のお子さんがこれを体現していました。中学3年生になった段階では、志望校は絶望的な「E判定」でしたが、塾の先生が「基礎力をこういうスケジュールで組み上げていくから、受験直前にはA判定になるよ」と自信を持たせてくれ、その計画を支えにコツコツ努力して、年末に見事A判定を取り、無事合格しました。

合格した高校は進学校で、当初は周囲とのレベルの差に驚いたそうですが「自分の学習方法でいくと、半年間フルに努力すれば必ず追いつける」と、くさらず焦らず努力を続け、大学入試も長期計画と日々の蓄積で「無駄なく、無理なく」乗り切って合格を手にしました。「ちゃんと計画があるから大丈夫」、と、自分の強みを自覚した「保全性」の高い人ならではの受験戦争の戦い方だった、と知人は言っていました。

なお、たとえ計画どおりに進んでいても、前述のように「先回りしたくなる」こともあり、残業したり休日を返上したりして頑張ろうとするのが、常に安全策を採りたがる「保全性」の高い人の悪いクセです。先回りするよりも、現状のままでも「余裕がある」ことを自覚し、休日にはしっかりと休み、心に余裕を持ち、全体を見渡す気持ちをキープすることで、より安心を保つことが大切です。

夏休みの走り方は
フルパワーで一直線に
進むのではない
大きくゆるやかな
カーブの連続を想定して
アクセルをうまく
調節してスムーズな走行を
心掛けるのだ

なるほど……
わかる気がします
マラソンではなく
ダッシュを繰り返す
という夏の鉄則の
確認か……
何事も
緩急が大事と
いうことだ

『ドラゴン桜』10巻87限目

「拡散性」は自分の経験から「飽きた際の対策」を磨こう

「拡散性」の高い人の場合、自由に動いているのに成果を上げられないのは、「センスが悪い」ということです。おっと、怒らないでください。自分が何をやればいいのかを感じ取る力が弱い、というくらいの意味です。

「拡散性」の高い人の学び方は、基本的に「様々な経験をしながら共通する概念を見つけていく」ことだと説明しました。そのためには経験の質が重要なのですが、単に「様々な経験をした」だけでは質は高まりません。仮説・検証を繰り返す中で、「こっちだ」「あっちだ」と経験すべきことを取捨選択していく必要があります。

計画を維持するという視点からいえば、センスが悪い、というのは、「ここに気をつければ、自分は飽きずに続けられる」という体験が不十分、あるいはちゃんと言葉にできていないのです。

困ったことに、それなのに、「自分はなんとかなる」と過信している人が多い……。

飽きやすく、計画が苦手な自分をどうコントロールするか。それには「自らの声を聞け」。これしかありません。つまり、「経験を通して、自分の〝飽きやすさ〟に対処する法則を見つける」ことが重要になってきます。

先ほどの「保全性」が高いお子さんの話をした知人（男性です）は、実は拡散性が高いタイプで、コツコツ努力する我が子を「あれだけ勉強に集中できる人間が、自分の子だとは信じられない」と言っていました。本人はやはり飽きっぽく、仕事でも趣味でもすぐに「イヤになった、飽きた」と思ってしまうそうです。

「ずっとそれが悩みで、子どもに比べてなんてだらしない父親だ、と恥ずかしかったりもしたのですが、これは保全性と拡散性の違いなんだな、と思ったら開き直ることができました」

彼はどう開き直ったかというと「仕事に飽きたな、と思ったら、すぐスマホをいじる」ようにしたのだそうです。それも何分間、と決めることもなく。

「スナックを食べる、お茶を飲む、でもいいんです。とにかく続けるのがイヤになったら、すぐやめる。しかも中断することに罪悪感を持たずに」

それで仕事は遅れないのか、と思うところですが、彼は「いや、スマホもすぐ飽きるんです。そうしたら、むしろ軽い気持ちで『スマホをやめて仕事に逃げる』ことができます」と、あっけらかんと言うのでした。

この言い様は、『ドラゴン桜2』のヒロイン、早瀬に通じるところがあるかもしれません。言うに事欠いて、こんなことを言い出します。

でもここ
勉強しづらくない？

海が見えて
お日さま
サンサンと輝いて
ザザァ
完全な
リゾート気分で
勉強する気
起きないよ

そこが水野先生の
狙いなんじゃ
ないかな
え……
勉強する気が
起きないような場所でも
勉強するかどうか

あえて突き放して
僕らの自主性を
引き出そうと
してるんじゃ
ないかな

だったら
チョー面倒臭い
……
え……
私……
自主的に
勉強できないから
東大専科に
入ったのよ

受験プログラムに
乗っかって
勉強すれば
合格できるって
いうから
桜木先生に
ついてきたの
私は
用意された状態で
頑張りたいの

『ドラゴン桜2』7巻51限目

「快適な別荘で夏合宿、スケジュールは各自の自主性に任せる」と言われて「私は強制されたいの！」と言い出すあまのじゃくっぷり。気まぐれにコロコロ言うことが変わるなあ、どうせ本音じゃないだろう、と「保全性」が高い天野に見抜かれ、（内心で）突っ込まれています。さすが、ドラゴン桜の「拡散型の女王」です。

知人の場合は「服従」させてくれる女王様はいませんが、「飽きたら別のことにすぐ移る」を、自分をコントロールする概念として手に入れた、といえます。

飽きることを前提にしてしまおう

拡散性は目標は遙か先に置き、計画自体はラフに作り、「短期集中」を連続させる、というやり方が現実的です。これすなわち、〝飽きることは前提〟で、取り組むことです。

私の場合、その日やらなければならない業務があれば、それを2つ3つ並べておきます。仕事をしていると、他のことがちょっと気になります。そのときに本格的に別の案件に取り組むのではなく、まさに「走り書きメモ」を残すのです。そして、取り掛かっている業務に戻る。早く「今メモした業務をしたい」と動機付けられ、目の前の業務に集中できるのです。別の仕事でリフレッシュです。もちろん、インターバルでは、オフィスを歩きながらストレッチだけでなく、腕立てや腹筋など、身体を動かしています。

親、上司が子どもとタイプが違う場合はここに注意！

実例でも紹介しましたが、親子でタイプが違うことは普通ですし、上司と部下ならばなおさらです。何度も繰り返して恐縮ですけれど「保全性」「拡散性」に優劣はまったくありません。ただ、採るべき「型」、得意な考え方が違うだけです。

しかし、考え方が違えば、お互いの思考や感情が理解できないことが多々出てきます。親は子どもの勉強法に口出ししたいものですし、上司も部下についー言言いたくなるもの。どちらも「親心」なのですが、そこで一回は呑み込んで、タイプが違うのではないか、と考えてみましょう。

「拡散性」が高い親（上司）からは、「保全性」が高い子ども（部下）が、「細かいことばかりこだわって、実行に移すのが遅い」ように見えがちです。自分が安心して勉強を進めるために、最初にできる限り現実味がある精緻な計画を立てようとしているのですが「そんなヒマがあったら英単語の一つも覚えては」とか、ついいらないことを言ったり。

とはいえ実行可能な計画を立てるのは大人でもなかなか難しいもの。代わりに計画を立てるのではなく、相談相手として「前にうまくいかなかったのはなぜか」を聞いて、振り返るヒントをあげる、など、一歩引いて支援してあげましょう。もしご自身も「保全性」

が高いならば、「プラン作成虎の巻」を伝授してあげるのもいいでしょう。

目標設定のところでも述べましたが、「保全性」が高い親（上司）から「拡散性」の高い子ども（部下）を見ると、「あまりに計画性がない」とあきれかえるかもしれません。せっかく虎の巻をあげても「……ふーん」で終わってしまうかも。「よかれ」と思ったことが響かないので、イライラしてしまいがちですが、やはり子どもを信じて自由にさせることです。繰り返し述べてきたように、様々な体験を通して自ら学んでいくのが「拡散性」の高い人の特徴です。あれこれと言わないほうがいいのです。失敗も部下には「仮説の一つ」です。そのことを理解してあげましょう。本当に困れば自ら相談にきます。

そのときにこそ、「保全性」の高さを活かして手厚いサポートをしてあげましょう。「飽きっぽさ」はおそらく本人も自覚しているでしょうから、そこを叱るのではなく、「気にするな、次の手をどんどん試せ！」と煽るのです。体験からしか自分の武器を探せないのが「拡散性」ですから、「面白い」と感じさせ、試させ続けることが、最も重要なのです。

まとめ

- 計画を守れないことには「拡散性」「保全性」ごとに違う理由がある。
- 「保全性」の高い人は、仮説と検証で計画の精度を上げる。
- 「拡散性」の高い人は、「飽きる自分」の制御方法を見つけよう。

第7章

「型」が日常になる日

「歯を磨くように」勉強する境地に達するために

型を身につけ、目標が定まったら、いよいよ日々の実践あるのみ！　です。とはいえ、その過程ではつまずきが必ず発生します。落ち込んだり、成長の手応えがなく不安や焦りを感じたりすることもあるでしょう。目標に着実に近づいている実感を得て、日々のやる気を維持するために、何かいい方法はないものでしょうか。

『ドラゴン桜2』10巻78限目

「目標」「計画」と来て、いよいよ「実行」。

『ドラゴン桜』、そして『ドラゴン桜2』で貫かれている「学び」への姿勢で、つくづく「その通りだ」と読むたび思うのは、「学びを日常のもの、生活習慣の一つにしてしまえ」という考え方です。

生活習慣という以上、特別、特殊なものではなく、「やらないと気持ちが悪い」と感じるところまで持っていく。生活という枠組みの中に勉強が入ってしまう。これができるようになれば、成功は約束されたも同然です。

「拡散性」が高い人も、「保全性」

が高い人も、究極的に目指すのはこの境地であるべきです。逆に言いますと、「歯を磨くように勉強する」というのは、学びの手段ではありません。継続によって日常化した学びが、到達する境地なのです。

とても分かりやすく、心に残る言葉、いえ、残すべき言葉です。

しかし、最初から「歯を磨くように勉強するぞ」ということ自体をやろうとしても、できるものではありません。そこは勘違いしてはいけません。

この名台詞は『ドラゴン桜』、そして冒頭のように『ドラゴン桜2』でも出てきました。『2』で、そのシーンに至る流れを見てみましょう。

習慣化の最終形にいかにたどりつくか

勉強合宿を終えて気持ちが緩みかけた早瀬、天野。そんな2人に、「進学校の生徒は、なぜ勉強がデキるか、わかるか?」という問いが、桜木から投げかけられました。

早瀬は「それはもともと成績のいい子たちが集まるから」と答えます。桜木はこれを一蹴。「集まったところで勉強をサボればすぐに成績は落ちる」。確かにその通りです。つまり、この設問は「なぜ進学校の生徒たちは入学後も勉強し続けることができるのか」を聞いているわけです。天野は「周りがみんな勉強するから……」と自信なげに答えました。

天野
正解！
おっ
やった！

進学校の生徒は
なぜ勉強が
デキるのか！
それは
まわりの生徒も
みんな勉強するから

みんながやるから
自分もやる
この関係性がしっかり
できているから
みんなが勉強する
だから成績が上がる

その場合
身につけられる
最大のスキルは
何か
それは
習慣だ！

習慣……

勉強する
習慣
これこそが
最も重要な
能力なのだ

水野！
勉強の習慣を
表現する
最適な言葉は？

歯を磨くように
勉強しろ

歯を
磨くように
勉強しろ

『ドラゴン桜2』10巻78限目

この通り、桜木も「歯を磨くように勉強する」は、「習慣化の最終形」と言い切っています。「型」がすでに生活と一体化している。最強です。

この境地にたどり着くにはどうすればいいのでしょうか。『ドラゴン桜』には、そのための知恵も豊富に盛り込まれています。

保全性に有効な「万里の長城」作戦

代表的なのは、成果、成長を感じてやりがいを得られやすいように「身近で達成しやすい目標を用意する」方法です。

これは「保全性」が高い人には実効性のある教えだと思います。一方で「拡散性」が高い人は、身近過ぎる達成目標だと「ワクワクしない」ことになります。「壮大なゴールを描き、高い壁に挑み何度も跳ね返される」ことで、さらに興味が湧き、技も磨かれるのです。前章で述べたとおり、「自分を飽きさせない」ための加減が重要です。

ともあれ、手の届く目標を積み上げていくことは、日本人の多数派である「保全性」が高い人には特に有効ですし、努力した証が残ることで、自信を失ったときの支えにもなります。桜木は「万里の長城」の建築システムや、「砂山の動かし方」(『ドラゴン桜』20巻184限目)を使って、これを説明しています。

井野先生……
中国の万里の長城
あれはどうやって
作られたか
知ってるか？

万里の長城？

そりゃあ……

その……端から
作りながら
先へ……先へ……
と……
じゃないの？

それは違う

工区は500メートルごとに
細かく分割されている
全労働者も
約20名ずつの
班に分けられ
各班は500メートルの
城壁を担当する
二つの班が一緒に
作業をし
1000メートルを両端から
作り中心で出会って
完成させる

これを延々と続け
あの壮大な建造物を
完成させたのだ

そして　すぐ隣の工区に
移るかというと
そうではない
二つの班は
遥か遠方の工区へ送られ
また同じ作業工程を
繰り返し　1000メートルの
城壁を完成させる

『ドラゴン桜』6巻55限目

成長を実感できる目標設定はとても有効ですが、さらに「習慣」まで持っていくための決め手になる方法が、『ドラゴン桜』の中にある、と私は思います。
それは「内省」です。
具体的にはどんなことなのか。一例として、水野が受験勉強を開始したものの、半年経っても実力テストで思うように成績が伸びず、「自分なんかが本当に東大に合格できるのか」と不安にさいなまれたエピソードから紹介しましょう。
落ち込む水野に対し、桜木がある「元気回復術」を施します。
それは「これまで行った勉強のすべての記録を手帳に書き込む」ことでした。
桜木は、半年間の学習内容を記録したファイルを用意していました。それを彼女に手渡し、新しい手帳に書き写させたのです。
小学生用のドリルから始めて、勉強合宿や下級生との英作文対決、いろんなことを勉強したなあ、と、自分の勉強の足跡を振り返っているうちに、水野の心が動き始めます。
「私…頑張った　頑張ってこんなにいっぱい勉強した　大丈夫…やれるよ　最後までやり抜いてみせる」
いつの間にか水野の不安や焦りは消え、ひとりでに元気を取り戻し、東大受験に向かって頑張る決意を新たにしたのでした。

『ドラゴン桜』15巻131限目

第一線で活躍する人たちが日々必ずやっていること

桜木が水野に促した、この自分の行動の振り返りが「内省」です。

そしてこの内省こそ、トップアスリートやビジネスエリートたちが目標達成のための努力継続に欠かせない鍛錬として、日々やっていることです。

某大学のスポーツチームのコーチから聞いた話ですが、競馬のトップジョッキーは、騎乗した複数のレースを克明に覚えていて、自分がレース前に描いていたレース展開と実際を毎回検証して、内省しているそうです。また、スティーブ・ジョブズが取り入れた「マインドフルネス」(禅的な瞑想手法)がビジネスエリートの間でブームになりました。アスリートに限らず、第一線で活躍している人たちの多くは、方法は違えど内省のための思考法に取り組んでいるようです。

彼らはなぜ内省するのか。それは、振り返りながら、事実を事実として受け止めて整理するためです。元々の仮説はどうだったのか、実態と仮説にどれだけギャップがあったのか、それはなぜ発生したのか、それで次にどうするのか――。常にこのような思考を持っていれば、失敗にとらわれてうじうじすることがなくなり、気持ちはおのずから立ち直っていきます。仮説検証を通して、失敗した理由と再挑戦の道を見つけ出す――内省は、落ち込みを救うだけのものではありません。自分なりの成功法則を見つけて、より効率的に目標を目指すために行うものなのです。

「保全性」は日々の出来事を記録して、積み上げを可視化する

そしてこの内省のやり方も、個性によって合うやり方が違います。

例えば、桜木が水野に教えたような、「日々記録をつける（日記をつける）」という方法が向くのは、「保全性」の高い人です。

これまでも説明してきたとおり、「保全性」の高い人の学び型は、「積み上げて、体系化すること」です。

積み上げることで自信につながる彼らにとって、「何をどれくらい積み上げたのか」を可視化するのが一番のモチベーション起爆剤。桜木が水野に学習記録を書き写させた狙いは、まさにこの可視化だったのです。

桜木は、学習記録をつけることの意味を、「ザルと桶」の比喩を使って説明しています。記録をつけずに勉強しても、「まるでザルに水を貯めようとするかのよう」で不安になる。一方、日々の勉強内容を記録すれば、「桶に水を貯めるように」、勉強に費やした時間と学んだ知識量が確認できて、安心できるというわけです。

勉強しても
その成果を量として
確認できないからだ
数学
英語
理科
国語

だから
いくら勉強しても
その量が足りているか
不安になる
その不安を打ち消そうと
数学でも英語でも
手当り次第に
どんどん勉強する
必勝

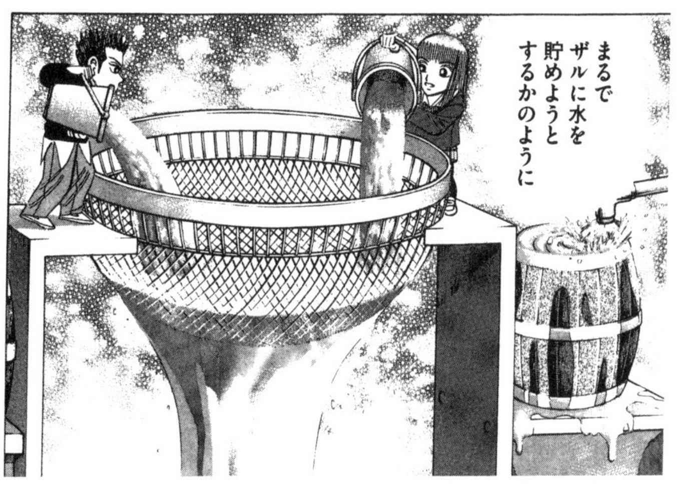
まるで
ザルに水を
貯めようと
するかのように

『ドラゴン桜』15巻132限目

振り返りのクセをつけてしまおう

ただ単に記録するだけでなく、練習問題の中身や不明点もきちんと記録に残すことや、色やイラストを使うことも、桜木はアドバイスしています。これは、「保全性」の高い人がぜひクセにしたい「知識を体系化していく」ためにはとても効果的な方法だと思います。

気づきが色や矢印などでハイライトされていれば、過去の記録を見返したときに記憶が蘇り、つまずきの傾向や対策が見出しやすくなります。記録の蓄積から自分の成功や失敗のパターンを整理することで、次にどんな問題が出ても対応できる引き出しが増え、自信につながっていきます。

ビジネスパーソンならば、「計画」に対して「実践」はどうだったかを振り返るのがおすすめです。計画と実践にギャップがあれば、その原因を突き止め、ギャップをなくすための対策を立て、翌日に実践します。それを繰り返すことで計画の精度が高まっていけば、「できた！」という実感を味わいながら知識や経験を積み上げていくことができます。

日記を書く習慣も、ぜひ「型」として身につけてしまいましょう。積み上げの可視化は「保全性」と相性がいいですから、続けやすいはずです。日記を書かなければ気持ち悪くて寝られない。そんな自分に変えてしまいましょう。

「拡散性」はキーワードで振り返り、セレンディピティを刺激する

さて、ここまでの話をやや白けて読んでいた人、「学習記録をつけよう」「日記を書こう」と言われて、「えー、面倒だな、嫌だな」と思ったあなたは、おそらく「拡散性」の高いタイプです。

私もそうですが、毎日こと細かく日記を書くのは性に合わないところがあります。まず、印象に残っていないことは覚えていないので、その日の出来事をつらつらとは書けません。これは日記には致命的です。日記をつけることを「面白い」と思えなければ、確実に三日坊主で終わります。

「拡散性」の高い人は、どちらかと言えば無計画で、その瞬間の「閃き」が大事。失敗しても「まあいいか」とあっさりしたものですし、成功しても興味が続かなければチャラにして、また別の興味へと移っていきます。積み上げることに興味がないのです。

ただし、「捨てる」のは「拡散性」の特性とはいえ、体験を振り返ることなく捨てるばかりでは、学びのないままで終わってしまいます。真理や原理原則を突き止めるための振り返りをしないと、「拡散性」の学びにつながる「概念化」は遠のく一方でしょう。

では、どうするのがいいのか。

「拡散性」の高い人に向くのは、「メモする」ことです。

メモするのは、キーワードだけでOK。そのキーワードから「閃き」が生まれれば、それも走り書きします。それで十分です。

「拡散性」の高い人は、書いたことすらすぐに忘れます。でも、何かあった際に、気になってメモを見返すことがあります。以前書いたメモを見て、そこから何かを思い出すトリガーになればいいのです。そして、また忘れる……。

それを繰り返すうちに、「忘れられないテーマ」が見出されてきます。それこそが、実は探し求めていた概念（すなわちコンセプト）なのです。このメモによる内省法は、私も学生時代に先輩から教えられて、それ以降何十年と続けています。

拡大連想法 vs. 自由連想法

内省を行う際に、出来事を網羅する日記が向くのか、閃きを記すメモが向くのかは、「保全性」と「拡散性」の連想法の違いでも説明できます。

「保全性」の高い人の連想の仕方は、「拡大連想法」といって、関連する事柄へと連想が広がっていきます。「赤」と言ったら、「りんご」「夕焼け」「炎」など、「赤いモノ」を連想していきます。最初の事柄を起点に少しずつ発想が広がっていく要領なので、日々の出来事を網羅的に記録する日記が向いているのです。フォーマットで表すと、ボトムアップフレームで表現できます。

一方、「拡散性」の高い人の連想の仕方は、「自由連想法」です。発想が自在に飛びます。「赤」と言ったら、「情熱」と答えます。「ほら、広島カープの赤ヘルとか、イタリアの車といえば赤だし、燃える赤ヘル軍団、情熱的なイタリアのカーデザイン、って感じで……」と、まあ説明しようと思えばできなくはありません。

でも、「拡散性」が高い人の連想には、理屈や合理性があるようで実はない。そのとき心に浮かぶ閃きが重要なのです。そういう人にとっては、克明な日記よりもキーワードをメモするほうが向いているのです。

ただ、発想が飛び散るだけでは学びにつながらないので、共通する概念に着地させる必要があります。

それには、自由連想法をフォーマットで表したマンダラフレームを使うのがいいでしょう。閃きのままに四隅に言葉を書き、隣り合うマスに両方に共通する言葉を、これまた閃きのままに入れていくのです。矢印の方向に収束させていくことで、脈絡のない言葉たちに共通する概念を導き出していきます。最終的に中央のマスに現れる言葉が、すなわち「概念化」ということです。

［ボトムアップフレームの考え方］

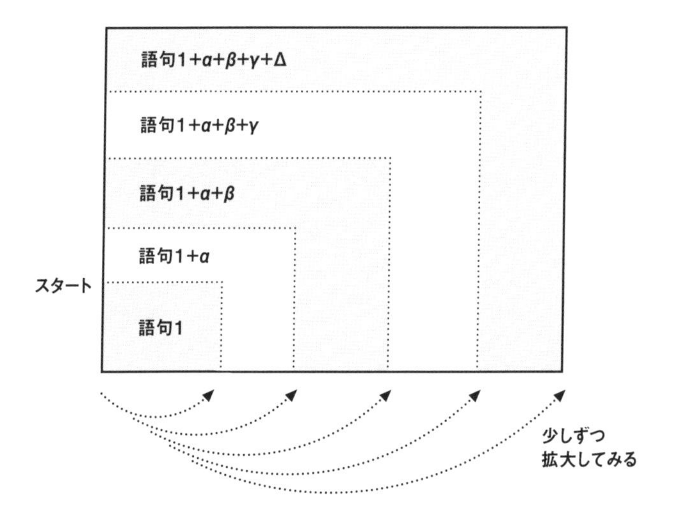

［マンダラフレームの考え方］

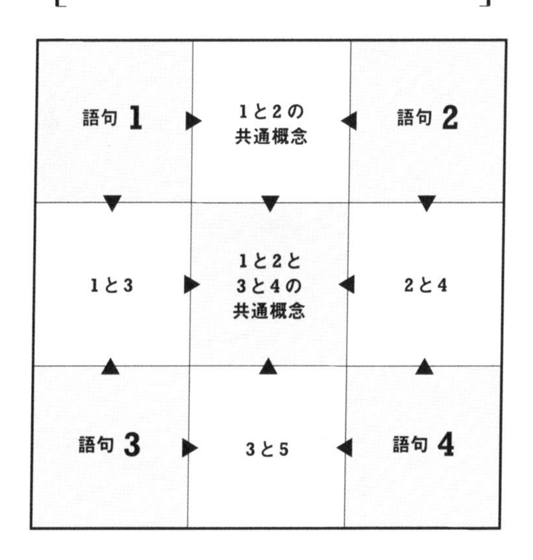

[マンダラフレームの例]

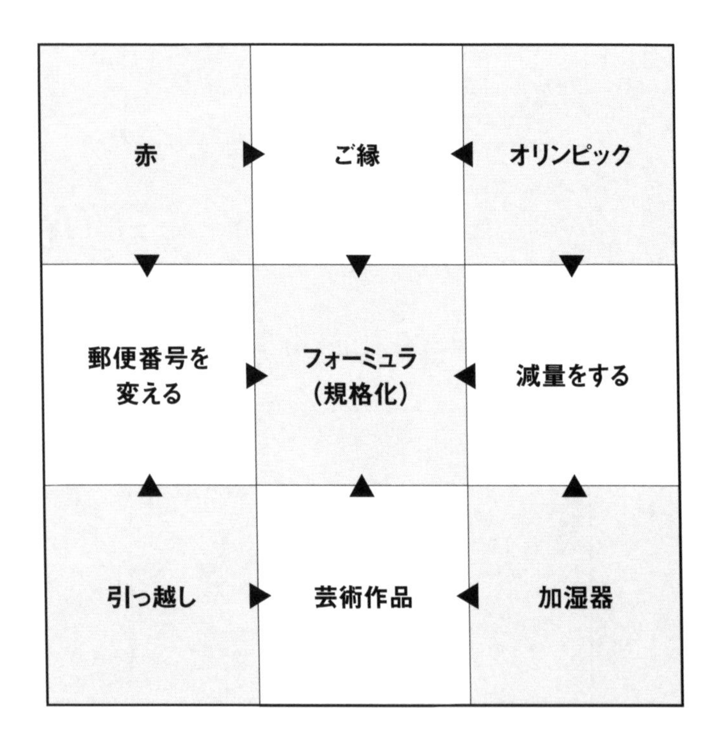

肯定的な自己暗示で自分をうまく騙そう

日々実践・継続するうえで、桜木がもう一つアドバイスしているのは、「自分の身の周りのすべてにマルをつける」ことです。

「勉強に集中できないのは部屋がないから…とか部活が忙しいからとか……」

「そうではなくそれらをみんなマルに変えてみる」

「部屋がないのはマル　かえって自習室で集中できる　部活があるのはマル　生活にメリハリができて充実感を得られる……」

すべてにマルを付けるのは、ネガティブな発想をポジティブに変えるための、見事な思考転換法だと思います。焦りや不安に駆られがちな受験生だけでなく、仕事がうまくいかないと悩んでいるビジネスパーソンもぜひ取り入れたい考え方ではないでしょうか。

そんなのただの自己暗示でしょ、と思う人もいるかもしれません。マンガでも英語教師の井野がこの台詞で混ぜ返していましたが、その自己暗示がすごく効くのです。

何か課題に直面したとき、潜在意識でも顕在意識でも、「できない」と思えば、絶対に達成できません。これを「否定的な心理サイクル」と呼んでいます。反対に、「できる」と思えば、達成できる可能性は高まります。

常にいい方に
いい方に
考える
頭ではわかっててもなかなか
できないから
悩むんでしょ?
必ず最後は合格する
すべてうまくいく
というようにポジティブな
思考法でいこう
そこでひとつ
具体的でわかりやすい
セルフコントロール術を
提案しよう

それは……
自分の身の回りに
すべてマルを
つけてみる

身の回りにマル？
そうだ…
大概 人はものごとを否定的に考える時自分自身ではなく周りのせいにしたがる
勉強に集中できないのは部屋がないから…とか部活が忙しいからとか……
心の中でバツをどんどんつけていってだから自分はできないとネガティブに考える

『ドラゴン桜』10巻90限目

4行日記でさらにパワーアップ!

肯定的な意識を鍛えながら、日々の出来事を振り返る日記のつけ方があります。『4行日記』®です。FFS理論の開発者である小林博士が開発し、私も開発に携わりました。これを紹介したいと思います。

日記といっても、出来事をつらつらと書き連ねるのではなく、書くのは4行だけです。『4行日記』とは、日々の出来事のすべてを肯定的に捉えて、「事実」「発見」「教訓」「宣言」を1行ごとに書いていきます。成功するための原理原則を見出し、「未来のありたい姿」を描くのがこの日記の狙いです。

4行で何を書くのか、簡単に説明しましょう。詳しくは小林博士の著書『4行日記』をご覧ください。

「事実」――今日あった出来事を振り返り、「これはとても重要だ」「これができなかった」と思うことを一つだけ選び、事実のみを書きます。

「発見」――事実から発見したことを書きます。事実の背景にある法則性や原理原則、または真因や仮説、解決策など「あっ」と閃くような気づきを書きます。

「教訓」――「発見したこと」を普遍的な知恵にして書きます。止揚することでもあります。先人が残した格言や諺なども利用しても構いません。自分だけの発見をすべての人が共有できるように一般論化させる活動です。または、発見が真因の場合は、解決策となり、自分の行動指針にしていきます。

「宣言」――目的・目標に向かって、課題解決できている姿や、より拡大している自分を「～している」という形で書き、日々の行動原則という形で宣言します。

※1行20字、全体で80字を目途に、簡単明瞭に書きます。

「宣言」の書き方にはルールがあります。潜在意識に目的行動を刷り込むことができる方法論で、次の7則を基本としています。

1. 簡単明瞭（重文は避け、単文にする）
2. 漢字使用（日常的で簡単な単語を使う）
3. 肯定的表現
4. 否定語の排除
5. 宣言文の主語は〝私は〟
6. 宣言文は現在完了進行形（～している）

7. 宣言文は必ず属性で締めくくる

次に紹介するのは、「拡散性」の高い人が書いた『4行日記』です。

（拡散性の2人の例）■事実、◆発見、●教訓、★宣言

■テレビで義足のモデルを見た
◆身体も個性である
●個をあるがままに活かせ
★私は誰もが活躍できる社会を創造している人間です

■〝真紅の〟夕焼け空を見た
◆出会いは意識と運がもたらす
●自ら引き寄せる
★私は、大望を叶えている野心家です

このような『4行日記』が書けるようになるには、ある程度の訓練が必要です。

書き方についての補足ですが、なぜ漢字を使用するかというと、漢字のような表意文字は、見ただけで「意味が伝わる」ため、イメージ記憶する潜在意識に刷り込まれやすいからです。

例えば、日頃から「難しい」「危険」などの否定的な漢字を多用していると、潜在意識がそれらの否定語で充満していきます。勉強でも仕事でも、何か考えようとすると「難しそう」「危険だな」といったネガティブな考えが、今度は顕在意識を支配しようとするのです。そうならないために、すべてを肯定的に捉え直し、「楽」（楽しい、楽々とできそう）や、「安全」などの肯定語を日頃から使うように意識しましょう。顕在意識でも「楽勝だな」「安全だな」といった肯定語の支配が強くなり、考え方を前向きにしてくれるのです。

個性別・4行日記の書き方

うすうす気がついた人もいそうですが、『4行日記』は「経験の概念化」ですので、「拡散性」の高い人には特におすすめです。では「保全性」の高い人にはダメなのか。そんなことはありません。そもそも、普通の日記でも「保全性」の高い人には十分な武器になるので、こちらを使いこなせたら鬼に金棒です。

難しさを感じるとしたら、「発見」や、未来の成功をイメージした「宣言」を導き出すことかもしれません。「保全性」の完璧志向が「このくらいのことを書いてもいいのか？」「なにも達成していないのに偉そうに宣言していいのか？」と邪魔をします。

「保全性」の高い人は「積み上げて」「体系化する」ことを強く意識して、発見、宣言を書くのがいいでしょう。そこならば自信を持ちやすいからです。そうした人の例も紹介しましょう。

（保全性の2人の例）

■評価資料の作成をした
◆改善の道は思考の限界を感じた後に訪れる
●雨垂れ石を穿つ
★私は、質の高い仕事をしている社会人です

■装置からの発生音を環境違いで確認した
◆個は千差万別、日々変化
●適宜、適材適所
★私は個性を活かして成果を出している組織人です

素晴らしい発見を得て、未来のありたい姿を鮮やかにイメージできるようになることは、「保全性」の高い人に「肯定感」を与えます。「これでいいんだ」という実感で、持ち前の積み重ねる力をますます発揮し、目標への学びの山を元気よく登っていくことでしょう。

「勉強しているのが一番落ち着く」

拡散性、保全性を問わず、「日々、目標を持ち、物事を肯定的に捉えること」は、立ちはだかる障害をクリアする発想、気力を与えてくれます。これを続けているうちに「学ぶ」ことが日常の習慣になり、ついには「勉強の疲れを、別の勉強をすることで癒やす」ことまでできるようになってしまいます。

これはもしかしたら不自然な、不幸な状態に見えてしまうかもしれませんが、決してそんなことはありません。なぜか。その答えは、水野に語ってもらいましょう。

まとめ

- 「歯を磨くように勉強する」には、内省とポジティブ思考が役立つ。
- 「拡散性」の高い人は、メモを取りまくって自分の発想を概念化。
- 「保全性」の高い人は、日記をつけて自分の成長を見える化。

結局 受験生って
受験が終わらない限り
何をしても
面白くない
試験が終わるまでは
楽しい気持ちには
なれないものなの
必勝

なんとなく
わかります
でも
悲しい

そうかしら……
私は幸せなことだと
思うけど
幸せ？
どこがですか？

『ドラゴン桜2』12巻95限目

第8章

競争と「型」で究極の学びへ

学びに「競争」は必要なのか

Five Factors & Stress

究極の学びは「自分を知る」それには「他人」が欠かせない

高校3年生になるまで、まともに勉強などしたことがなかった水野と矢島。桜木は2人に、「まずは身近な人間をライバルと思って競い合ってみろ」と言って、彼らの競争心を刺激します。競い合うことで2人の成長を加速させようとしたのです。人を蹴落とすことは嫌だと、矢島は抵抗するのですが……。

『ドラゴン桜』6巻56限目

矢島は、2人しかいない特進クラスで水野と競い合うことに居心地の悪さを感じ、競争を避けようとします。そんな矢島の心を見透かすかのように、桜木は言うのです。「お前は真の競争を知らない、というより逃げてきた」と。

桜木の言う「真の競争」とは一体どのようなものなのか。「学び」に「競争」は必要なのか。FFS理論を使って解説してみたいと思います。

競争に執着すると、相手の足を引っ張ろうとする

「競う/争う」という言葉を聞いて、皆さんは「拡散性」と「保全性」のどちらの因子を思い浮かべますか?

外向的で活発な性質を持つ「拡散性」(実際、ストレス状態のときには攻撃的になることがあります)を連想する人が多いようですが、実は違うのです。「負けたくない」という気持ちから周囲と競おうとするのは、「保全性」の高い人に見られる傾向なのです。

前著『宇宙兄弟とFFS理論が教えてくれる　あなたの知らないあなたの強み』でも詳しく書きましたが、「保全性」という因子は、農耕民族的な要素を持っています。

負けたくない「保全性」、ただし圧倒的に勝つのもイヤ

農耕民族は、みんなで力を合わせて灌漑をして、田畑を耕していきます。当然、組織の規模は大きくなり、運営するための規律や枠組みが作られていきます。それに伴い、村長を中心とするヒエラルキーも整います。その組織では、階層が上になるほど労働負荷が軽くなり、取り分も増えるなど、有利な条件を得ることができます。そのため、できるだけ周りの人よりも上に行きたいと思うのです。

ただし、圧倒的に勝ちたいわけでもありません。周りから「あいつは違う」と思われて、村八分にされるのが怖いからです。だから、周りの人より「ちょっとだけ優れている」という状態が望ましい。つまり、相手に負けていなければいいわけです。「保全性」の高い人は、「相手に負けたくない」という意識が強く、競争に執着しやすいと言えるのです。

競争に執着するとどうなるでしょうか。「どんな方法であろうが競争相手に勝てばよい」と考えて、相手の足を引っ張ったり、相手を引きずり下ろしたりして自分が勝つことを選択してしまうことがあります。矢島が水野との競争に気まずさを感じたのは、「競争＝相

手を蹴落とすこと」だと思っていたからです。

桜木が2人に教えたかったのは、もちろん相手を蹴落とすことではありません。お互いが意識して競い合うことで、「切磋琢磨する」ことです。そうなってこそ「学び」にとって競争が意味を持つわけです。

一人では戦えないし、一人では勝てない

そのためには、お互いの存在を認め合い、相手に負けたとしても相手の勝利を喜べる関係にならなければなりません。自分で「悔いなし」と思えるレベルまで取り組み、競争を通して自分の成長につなげることができれば、素晴らしいライバル同士になれるでしょう。これが桜木の伝えたかった「真の競争」なのです。

そもそも、「保全性」の高い人が成功や勝利を目指すには、仲間の存在が非常に重要です。自分の興味のあることなら、周りの目を気にせず突き進める「拡散性」の高い人とは違って、「保全性」の高い人は周りの目が気になるため、自分一人だけ周りの人とは違うことをやっていると、落ち着かない気持ちになります。本当はやりたいことがあっても、一人で頑張り続けることができずに、途中であきらめてしまうかもしれません。一緒にゴールを目指す仲間がいたほうが、安心して前に進めます。

また、「保全性」の高い人は、目先のことに注意が向き、視野が狭くなる傾向があるので、一人で頑張るだけでは行き詰ってしまうことがあります。仲間同士で情報を交換し合い、議論を通して知識の体系化に努めることで、共に学んでいくことができるのです。

競い合う「仲間」を意識する

東大を目指す水野と矢島は、落ちこぼれが通う龍山学校では〝浮いた存在〟です。周りの生徒も教師も、まさか2人が東大に受かるとは思っていません。そのような中で、2人が受験勉強を最後までやり遂げられたのは、仲間であり、よきライバルでもある、お互いの存在があったからだと言えるでしょう。

すでに登場したシーンですが、『ドラゴン桜2』で、「東大の入試問題を作ってみる」という難しいテーマに、桜木が唸るほどの「問題」を作って見せた早瀬と天野（83ページ参照）。その背景には、無意識のうちにも「2人で競い合った」ことがありました。「成長とは人との関係によってもたらされる」と桜木は言います。

もう一つ、競い合うのは顔や名前が分かる相手に限らないことが伝わる名シーンがありました。夏合宿で海沿いの別荘にやってきた早瀬と天野が、自主性に任されたことで（主に早瀬が）やる気をなくし、家に帰ろうと電車に乗った場面です。続けてご覧ください。

でもそこで
実家の商売に
結び付いたところが
偉いなあ
重要なポイントは
他者との関係性だ
他者との
関係性？

人間は一人で
成長するものでは
ないということだ
早瀬は
小杉の様子を見て
自分を
見つめ直した
小杉の逆を
考えることで
自分のオリジナルを
思いついた

『ドラゴン桜2』14巻107限目

夏合宿から逃げた2人が見た「他人」

カタン
鉄緑会
東大英単語熟語
カタン

カタン
カタン

カタン
カタン

ガダアン
天野くん
降りよう

ガダン
うん

キィ

『ドラゴン桜2』7巻53限目

他人との競争に興味が薄い「拡散性」はどうするか

では、「拡散性」の高い人は、競争をしないのでしょうか？

「拡散性」の高い人は、基本的に「自分中心」で動きます。他人の目はあまり気にしません。「やってること自体が楽しい」からやるのであり、「自分が面白いと思うこと」をやります。その意味で、ややエゴイストと言えなくもありません。自分と他人を比べること自体をナンセンスと思っている節があり、「人は人」「自分は自分」というマインドです。

例えば、レストランで相手がたまたま自分が考えていたのと同じメニューを選んだとします。すると「あっ、そうなの。それなら、俺はこっち」と別のものを選択します。つい、別に食べたくなかったものを頼むこともあるほどです。「拡散性」の高い人は、基本的に他人と同じことをしたくない、〝あまのじゃく〟なのです。

「拡散性」の高い人の場合、競争相手は他人ではなく、「自分」です。つまり、昨日より今日、今日より明日の自分が進化していくように、日々の自分と競っているようなものなのです。ただし、取り組んでいることへの興味が続く限り、という条件付きではあります。

そんな「拡散性」の高い人が自分以外の人を求めるとすれば、仲間やライバルよりも、「同志」の存在です。

じゃあ……
将来 立派な
お医者さんになって
お父さん楽させて
あげるために
理Ⅲを
目指してるの？
いや……
医者になろうとか
そんな決意があって
理Ⅲ受けるわけじゃ
ないよ
第一 それなら
もっと易しい大学で
十分だろ

え？ だって……
じゃ
どうして……

ん……
そうだな……

ただ単に理Ⅲが
日本で一番
難しいから
それだけ
かな……

『ドラゴン桜』8巻73限目

「仲間」と「同志」の意味を調べてみると、仲間は「一緒に物事をする間柄の人」、同志は「志や主義・主張を同じくする人」のことです。

「拡散性」の高い人にとって、同志とは「刺激になる相手」です。目指すゴールや主義、主張したいことは似ていたりしますが、その行き方や進め方が違います。違うからこそ、お互いに参考にできるし、応援することも可能なのです。たまに情報交換して、「それ、面白いな」とか、「俺は最近、こんな感じだよ」と言い合うことで、リフレッシュになったり、ヒントをもらえたり、自分のさらなる動機につなげることもできるのです。

同志になりやすいのは、身近な相手よりも、年齢が離れた人や物理的に離れた人など、遠い存在の相手です。また、ライバルがいるとすれば、トップアスリート、著名人、本や映画、マンガの世界の住人かもしれません。現実味はともかく「いつかは抜く相手」と〝妄想〟しているのです。妄想というとディスっているようですが、「拡散性」が高い人にとって、妄想する力はやる気を引き出すトリガーです。身近にライバルが見当たらないなら、どんどん妄想して盛り上がりましょう。

『ドラゴン桜』の大沢の言葉には、そんな「拡散性らしさ」があふれています。「日本で一番難しい」「日本でトップ100」は、「誰もが簡単に成し得るわけではない」という意味で、「仮想のライバル」として彼のやる気を支えているのだと思います。

そして、ライバル、同志の存在がなにより「学び」において重要なのは、彼らを通して「自分を知る」ことができるから、です。

『ドラゴン桜』のメッセージは「他者を通して自分を知れ」だ

『ドラゴン桜』『ドラゴン桜2』は、桜木と落ちこぼれ高校生、という一対一の関係ではなく、生徒のライバル関係を設定し、それがお互いを刺激して、成長していく様を描いています。もちろん、作劇上の要請があったからかもしれませんが、私には、「まず自分と向き合い、そして、他人を通して自分の弱さ、強さを知る」ことが、あらゆる意味での「学び」には必要なのだ、そう作者が訴えているのではないかと思えます。

「勇気を出して自分と向き合う　ダメな部分も受け入れて克服する」
「弱さを知り　強さに変える」
「自らの人格を磨くことが合格の礎だ」
「まわりを大切にするヤツが大きく伸びる　大きなことを成す」
「ボクはバカなんだ　バカに気づいていない本当のバカなんだ」
実に様々な形で「弱い自分を知り、認めること」「他者と接し、他者を認めること」、そして「他者から認められること」が、学びにいかに大事なのかが描かれています。

今の自分の
学力を知るのが
怖いっていうか……

だよね……
わかったら
一気に自信
失いそう……

00分～10時00分　日本史B
世界史B
何を
甘ったれたこと
言ってんだ

自分の力を
知ろうとしないヤツに
東大合格はないいっ！

東大合格
秘訣の第一条は……
まず
「己を知る」
ことだ！

自分の力を
自分で確かめる
これは
とても怖くて
できれば避けたい

しかし
ここを逃げていては
大きな成果は
得られない
成功は
掴(つか)めない

まずは
勇気を出して
自分と向き合う
ダメな部分も
自分で認める
受け入れて
克服する！

『ドラゴン桜2』2巻10限目

受験は
人間性で
決まる
自らの人格を
磨くことが
合格の礎だ

『ドラゴン桜2』 4巻24限目

他人から認められ
信頼されることは
目に見えない力となって
その人の成長を促すのだ

人は自分一人で
育つのではない！
まわりが
育てるものなのだ！

『ドラゴン桜2』8巻60限目

プリントして貼っておきたい名言ラッシュです。
自分で考えるには知識がいる、そして知識を身につけるには「型」がいる。型を身につけ、努力を続けるには、自分自身を知り、他者を認め、認められることが必須。それを通してさらに深く自分を知る、学びとはその繰り返しだ。うんと短くまとめればそういうことになるでしょう。
自分を知るために、そして、仲間、同志をちゃんと認めるために、FFS理論は必ず役に立ちます。桜木の教えと組み合わせることで「ドラゴン桜」がさらに大きく咲いてほしい、と思います。
悔しいこともあるでしょう。敗北感に打ちのめされることもあるでしょう。でも、自分の個性を知り、型を身につけたあなたは、自分と向き合うたびに伸びるのです。

まとめ

- 「自分を知る」ために、仲間、同志は欠かせない存在。
- 「保全性」の高い人は、身近なライバルを糧に成長を図ろう。
- 「拡散性」の高い人は、遠くにいる目標や同志を励みにしよう。

天野くん
数Aやるの？
場合の数をもう一度
やり直さなくちゃ
数Iも数Aも
全然わかってない
ボクは
バカなんだ
バカに
気づいていない
本当のバカなんだ
バカ

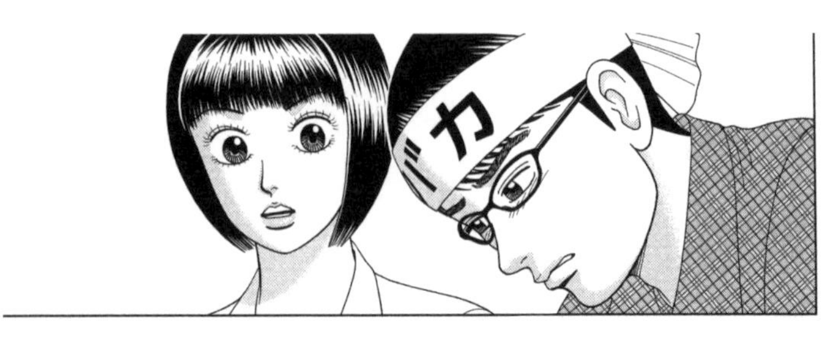

条件付き確率
巻に 1 だけ進む。さいころをも
原点に戻っている確率を求めよ。
の目が r 回出るとすると，他の目は
の座標は 2r+(−1)(6−r) になる。

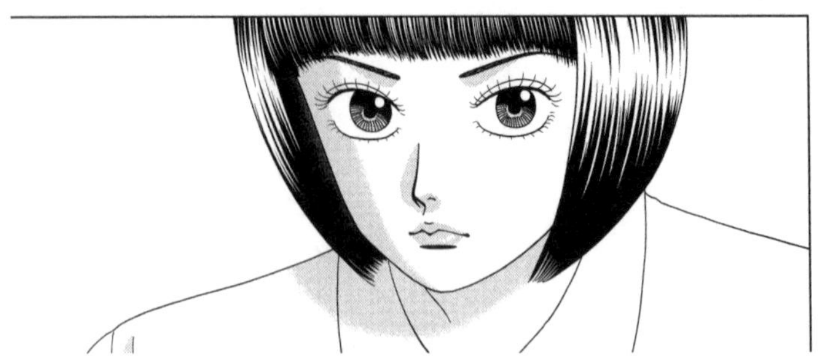

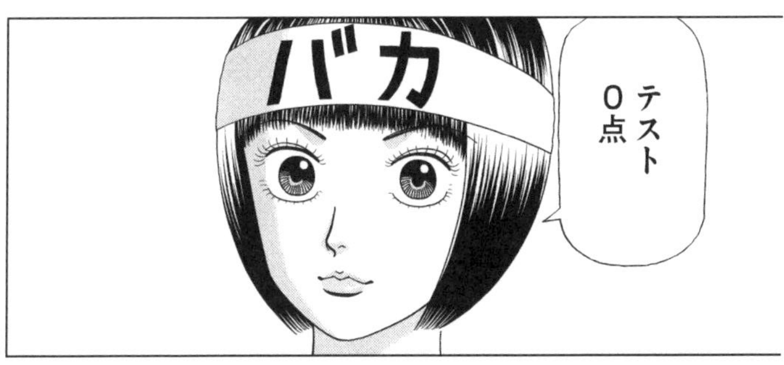

『ドラゴン桜2』7巻55限目

高い人に見られる「学びの傾向」

「弁別性」が高い人の学び方

この因子は、「黒か白か」をはっきりと分けようとする特徴があります。そのために、自分なりの合理性を追求し、理由付けをしていきます。黒白をつけるやり方は、基本的には客観的な情報に基づきます。そのため「人情、情緒がない、冷たい人だ」と思われることもしばしば。

学び方も合理的です。「世の中の現象はすべてに理由がある」と思うタイプで、それを解明し理解することが、自分にとっての「学び」となります。常に「なぜそうなるのか」という理由を問い、腑に落としていきます。

その理由が曖昧なうちは決して納得しません。重要なのは、世の中の摂理、真理、原理原則の追求なのです。

「弁別性」が高い人の実例

Kさんは、常に理由を聞きます。すべての物事において「それがそうなっている理由がある」と思っていますので、「適当だよ、なんとなくだよ」といった答えが返ってくると、「へえ、じゃあ、なぜ、理由がないのか」と問い続けます。海外の著者の本を読む場合にも、〝翻訳者の解釈が気になる〟と言い「原書を読もうとする」こともしばしばあります。著者が使った言葉の純粋な意味、そして主張する背景まで確認したいのです。

「受容性」が高い人の学び方

受容性は、基本的になんでも「ありがとう」と受け取れるのが持ち味です。そのため、学びの傾向にはあまり影響しません。保全性、拡散性のどちらが高いかで学び型が決まります。

Column about learning method

「凝縮性」「受容性」「弁別性」が

学びの「型」は、「拡散性」と「保全性」の高低で向き不向きが決まってくるものですが、他の3つの因子も影響を与えないわけではありません。それぞれが高い人にはどんな傾向が出てくるのか、簡単に紹介しましょう。

「凝縮性」が高い人の学び方

この因子は、自分の価値観を固めていこうとする特徴があり、自分なりに「正しい」「正しくない」と明確に価値基準を定めます。そして、その価値にこだわることになります。

そのため、先生や上司などの「人」から学んだり、「書物」から学んだりする場合は、自分の価値観と照らし合わせて「正統派」「由緒正しい」と思える相手や書物でなければなりません。

自分が「この人は本物だ」「尊敬に値する」と決めると「この人から学びたい」「このメソッドを導入する」となるのです。社会的な『権威』から学ぶという側面もあります。

「凝縮性」が高い人の実例

Tさんは、高校をやめて、フリーターをしていたときに読んだ本の著者に惚れ込みました。著者はある大学の教授。「この人は本物だ。この人から学びたい」と、大検を受けて、その教授がいる大学に入り、大学院まで進みました。Tさんは凝縮性が極めて高く、自らの価値観に従って、人生を変えて学びに賭けたのです。

んな人か「気になる」ので、視線は外したくないという態度になります。周囲に対して敏感でびくびくしていることもあります。

例は分かりやすくするためちょっと極端ですので、「そういう傾向がある」「どちらかといえばこっち」という程度でかまいません。参考にして、試してみてください。

シーン	顕著な行動・態度・言動・表情など	因子	チェック
自転車の置き方	とめ方が、ほぼ同じ場所できちんとしている	E	
	とめる場所は、その日の置けるところで雑。何も気にしていない風	D	
カバンの持ち方	鞄を引きずって歩くこともある	D	
	鞄はきちんと持っている	E	
カバンの中身	その日に不要な教科の本もたくさん入っている	D	
	その日に必要な教科の本だけ入れている	E	
ドアの開け閉め	閉める時、うしろの人を気にしない	D	
	閉める時、うしろの人を気にする	E	
待っている時間の過ごし方	トイレに行って、次の準備をしている	E	
	一方的にしゃべって、トイレに行くことも忘れている	D	
話を聞いている時のしぐさ	相手の顔を直接的に見ないようにしつつも、ちらちら見ている	E	
	相手の目を直接見ないが、常にキョロキョロと動いている	D	

Column about child behavior

小さなお子さんの

FFS理論による個性診断に自ら答えることが難しい小学校低学年のお子さんに対しては、親御さんが観察して個性を推測していただくことができます。その方法をご紹介しましょう。

10歳前後の子どもは、まだ社会性に関連する因子である「凝縮性」「受容性」「弁別性」は未発達であるのに対し、気質に由来する因子である「拡散性」と「保全性」が特徴として表れてきます。これらの二つは共に「情動」の因子ですから、「好き/嫌い」で動きやすいのです。しかし、「拡散性」は「外向的」、「保全性」は「内向的」という違いが言動や素振りに表れてきます。そのところに注目して観察してみましょう。

右の一覧表をご覧ください。

ここで紹介する6つのシーンは、子どもが学校や塾などに出掛けたときに観察される言動です。お子さんの言動を、可能な限り、客観的な視点でチェックしてみてください。

「D=拡散性」か「E=保全性」か、どちらに多くのチェックが入りましたか?

それぞれの因子が高い子どもの特徴としては、「拡散性」の高い子どもの言動は、言い方がきつくて申しわけないのですが“雑”で、落ち着きがありません。興味あることに集中すると周りが見えなくなり、他のことを忘れます。しかし、突然に飽きて集中力が切れた感じになります。また、「外向的」な特性から、外の刺激に対して反応していきます。キョロキョロと視線が動くのも特徴です。

「保全性」の高い子どもは、きちんと準備して動こうとしますので、落ち着いて見えます。不安な時は伏し目がちになりますが、相手がど

「勉強を頑張ってはいけない」と桜木は言った

佐渡島 庸平＝コルク代表（『ドラゴン桜』初代担当編集者）

それは、暗記＝勉強だった時代背景もあると思う。暗記は僕にとって苦痛でしかなかった。

僕らが育った時代は、知識は広がっていくにしても、ある程度有限なものだった。だから、何を学べばいいのか、何を暗記すればいいのかが分かっていたし、それらを携えて社会に出ればよかった。例えば、医師国家試験をパスするのに必要な知識、司法試験をパスするのに必要な知識というものがあって、試験に合格すれば、医師や弁護士として安定した人生を送ることができる。そのような予想がある程度できたのだ。

「勉強を頑張ってはいけない」。

『ドラゴン桜2』では桜木がこんなことを言うのだが、これはすごく大事なメッセージだと思う。

勉強は頑張らないといけないものだ、と僕らは思いがちだ。英単語を覚えるにしても、我慢して覚えないといけないし、我慢しないと勉強をした気になれない。そんなふうにわざと自分に意地悪して、「辛くなきゃ勉強じゃない」と思ってしまうクセが僕らにはある。

ところが、情報量がすごい勢いで増え続けている今の時代において、僕らが何かを暗記することの意味はほぼなくなってしまっている。自分が生まれたときと死ぬときでは、情報量に一体どれくらいの差があるだろうか。1万倍？　いや、それどころではない。そんな途方もない時代に僕らは生きている。情報が洪水のように押し寄せる時代に、僕らは何を学べばいいのだろうか。

僕がそんな問題意識を感じていた頃、日本の教育システムも大きく変わろうとしていた。2020年度から新しい学習指導要領が適用されることが決まり、教育改革自体も思考力を鍛える方向へと大きく舵を切った。

勉強とは本来、楽しいものだと僕は思う。学びは知的興奮を伴うから、学びによって人はご機嫌になったり、ワクワクしたりするのが本来の姿。でも残念ながら、これまでの教育では耐えることばかり学んで、自分をどうやってご機嫌にするかなんて知る由もなかった。

勉強の楽しさをいま一度取り戻すために、僕らは自分の楽しませ方を学ばなければならない。自分が何かに夢中になるのはどんなときか、どんな環境なら機嫌よく学べるのか。

自分に合った「学び方を学ぶ」。これをキャッチコピーにして、『ドラゴン桜2』はスタートした。このマンガをきっかけに、「勉強＝我慢、辛抱」という思考の呪縛を解き放つことができれば、というのが僕の想いだ。

作者の三田紀房さんは、『ドラゴン桜2』で正反対の性格を持つ2人の高校生を登場させた。きちんと目標を立てて努力し続けることが苦手な早瀬と、何かしようとする前に考え過ぎて動けなくなる天野。

この2人をFFS理論で分析すると、早瀬は「拡散性」が高く、天野は「保全性」が高いタイプということになる。もちろん、作家がそれを狙ったわけではない。三田さんはFFS理論を知っていたわけでもなく、直感的にこれらのキャラクターを描いている。FFS理論で分析してもブレないキャラクターづくりは、作家の鋭い観察眼ゆえであろう。

ここで僕が伝えたいのは、学び方は人それぞれ違う、ということだ。だから、自分に合った学び方を学ぶ必要がある。『ドラゴン桜2』では、早瀬と天野の性格を見抜いた桜木が、それぞれに合った指導法を展開しているのが見所の一つになっている。

僕自身、個性によって学び方や物事の進め方がまったく違うことに驚いた経験がある。

僕は2012年、コルクというクリエーターのエイジェント会社を創業した。僕なりに社員が働きやすい仕組みを作ったつもりだったが、社員からのフィードバックは「働きづらい」というものばかり。かといって、社員の要望を聞き入れると、僕にとっては働きづらい職場になってしまうのだ。

例えば、「自由に好きなだけ昼休みを取っていいよ」と僕が言えば、「いつ昼休みを取ればいいかルールを決めてください」とくる。いつでも自由に昼休みが取れることのどこが問題なのか、僕にはさっぱり分からなかった。

でも、僕自身がFFS理論を学んだ今なら理解できる。ルールを束縛に感じる人と、ルールがあったほうが安心できる人がいる。だから今は、全員に一つの考え方を強要するのではなく、一人一人の要望に応えるようにしている。それが社員にとって〝やさしい仕組み〟なんだと思う。

僕自身の学び方を振り返ってみると、僕は同時並行で複数のことを学びたいほうだ。でも、そのやり方に罪悪感を覚えていた時期もあった。あちこち手を出さずに、一つのことに集中したほうが身につくんじゃないか、と囁く声があったからだ。今は、そんな自分のやり方でいいと思っている。読みかけで放り出した本があったとしても、それはその本が僕の興味を喚起できなかったからだ、と思うようにしている。

世の中には、矛盾した2つのやり方がある。一見するとどちらかが間違っているように思えるけれど、実はそのどちらも正解なのだ。ただ、そのやり方が合っている人と、別のやり方が合っている人がいるだけだ。

よくありがちな悲劇は、「保全性」の高い人に向けたアドバイスを「拡散性」の高い人が受け取って、「自分のやり方は間違っているんじゃないか」と思ってしまうこと。また、その逆も然り。「こうすべき」という思考の呪縛にはまり込んでしまうと、自分に合わない学び方を自らに強制して、勉強はたちまち我慢の世界へと迷い込んでしまう。

僕らはもっと自分の感覚を大切にしていいと思う。どんな状況や環境で自分はご機嫌でいられて、ワクワクして学べるのか。こうした自分の感覚に素直になるには、自己理解も必要だ。FFS理論による自己理解もできて、自分に合った学び方も学べるこの本を、「頑張らない」で楽しく学ぶための手引きとしてぜひ役立ててほしい。

あとがき

『サクラサク』

私が受験生だった時代、今のようにスマホもLINEもツイッターもなかったため、合格者が貼り出される掲示板を見て、「合格だ！」と連絡する際に使うのは「電報」。その常套句がこれでした。多くの歌詞としても広まったフレーズです。青春を感じますね。

桜は街をピンク色に染めてくれます。寒かった冬から一気に華やぐ季節に移ろう時を象徴する花です。そう考えると「桜が咲く」ことは、「受験」や「資格取得」「就活」の合格だけでなく、これからの人生の輝きを約束してくれるようです。

この季節になると、私は連休を利用して、シーズンに数回、福井にある九頭竜川に「サクラマス」を釣りに出かけます。

サクラマスとは、海に下りたヤマメが桜の花開く時期に川に戻ることから、命名された名前です。私はフライフィッシング（毛鉤、釣り人のことはフライマンと呼びます）で釣っています。

10年近く通い、延べで60～70日川に入りましたが、一度も出合っていません。それだけではなく、九頭竜川全体でもフライマンがサクラマスを釣るのは「1日1人いればいい」と言われます。それほどに釣れないという意味で〝幻の魚〟とも呼ばれます。

竜でサクラを追う…、『ドラゴン桜』との縁も感じますね…。

人生が輝くためには〝幻〟では困ります。より確実に、精度高く成長していくためには、自分の学び方、体験の仕方の特徴やクセを知り、活かすことが一番なのです。そんな思いもあり、FFS理論の因子に依るところの成功パターンの解説に取り組みました。この本もそのアプローチの一つです。

私はプロフィールにあるように、ジャーナリストとしてキャリアをスタートし、転職して教育事業に携わり、その後FFS理論と出合い「人の組み合わせの最適化」を生業にしています。

ジャーナリストになりたいと思ったきっかけは、「人を救いたい」でした。私自身が一冊の本と出合い「生きる目的が明確となったこと」で、「ジャーナリズムは人を救える」とジャーナリストを目指しました。しかし、自分の実力のなさを知り、自らの強みを活かして〝人を救う〟には「教育なら」と、シフトしたのです。

FFS理論は、「強みを活かす組み合わせが科学的にできる理論」ですから、組織を運営する側に向けたアプローチです。しかし、同時に、個人に向けた取り組みが必要です。それは組織やチームにおいては、個人が〝自己理解をしていること〟と〝その強みを磨いていること〟が前提になるからです。理論的には、最適・最強の組織を作ることは可能ですが、一人ひとりが自分の力を100%発揮できない人たちが集まっても、シナジーは起きません。つまり、自己の力を100%発揮できない人たちが集まっても、本気のぶつかり合いが発生せずに、お互いに傷をなめ合うレベルで終わり、シナジーにはならないからです。

最近、多くの人事関係者とのやりとりで感じているのが、「個人の自己認知レベルが低い」ことです。それは、長期的に見れば、組織力を弱める元凶にもなりかねないと危惧を感じています。従って、「自己理解と強みを磨く」ことこそが、教育の原点であり、今求められているものと理解しています。これは、ライフワークとして取り組む価値があると信じております。

さて、今回の執筆に関しては、私一人では到底達成できませんでした。

前作から引き続きチームを組んでいますフリーライターの前田はるみさん、日経BPの山中浩之さんと三人四脚、私の名前で出す著書としては少し恐縮しています。それほど、お二人に尽力していただきました。

私がまずは先頭を切り、FFS理論に基づく保全性と拡散性の学び方、体験の仕方、親や上司へのアドバイスを仕上げます。拡散性が高く、原稿も拡散気味になる私の原稿を、保全性の前田さんが、抜け漏れなく、整合性をつけてくれます。逐一飛んでくる質問は、拡散性の私からすると「えっ」と思うこともありましたが、保全性ゆえの「確認したい」

からと理解して、埋めるように対応しました。

そのあとを受けて、拡散性の山中さんが、ばっさりと「捨て」たり「入れ替え」る作業をしてくれて、すっきりしたものに仕上がりました。まさに〝拡散性と保全性の補完性〟のメカニズムを三人で体現したような役割とバランスだったと思います。

FFS理論の開発者であり、教育学博士である小林惠智博士には、全体の構成で協力をいただきました。私が問いかけて、問いで返してもらう〝壁打ち〟です。その中で改めて確認できたことは「すべてを肯定的に捉えよ」でした。第7章に反映しているところです。

また、コルクの皆さんにも画像とエピソードを選んでいただくところで走り回っていただきました。

ヒューマンロジック研究所のメンバーにも救われました。

本当に皆さんの協力なしには、出来上がらなかったです。ここの誌面を借りて、感謝申し上げます。

丁度、多くの大学で「合格発表」が行われるタイミングです。自宅の近くにある目黒川沿いの桜も、今年は例年より早く蕾をつけています。

一人でも、この著書を通じて人生の「サクラサク」人が増えることを願っています。

２０２１年３月吉日

ドラゴン桜とFFS理論が教えてくれる

あなたが伸びる学び型

2021年4月26日　第1版第1刷発行
2021年6月11日　第1版第3刷発行

著者 ……………………… 古野 俊幸
執筆協力 ……………… 前田 はるみ
マンガ ………………… 三田 紀房(『ドラゴン桜』『ドラゴン桜2』)
企画・編集協力 ……… コルク(佐渡島 庸平、中村 元、岡本 真帆、有森 愛、井上 皓介)
発行者 ………………… 伊藤 暢人
発行 …………………… 日経BP
発売 …………………… 日経BPマーケティング
〒105-8308 東京都港区虎ノ門4-3-12
デザイン・DTP ……… 鈴木 大輔、仲條 世菜(ソウルデザイン)
校正 …………………… 西村 創(円水社)
印刷・製本 …………… 大日本印刷
編集 …………………… 山中 浩之

本書籍に関するお問い合わせ、ご連絡は下記にて承ります。
https://nkbp.jp/booksQA

ISBN 978-4-296-10943-2 Printed in Japan